井川香四郎

紅い月
浮世絵おたふく三姉妹

実業之日本社

実業之日本社文庫

目次

第一話　悪の華

一

浅草寺の参道から奥山に抜ける路地に、『おたふく』の提灯がぼんやりと灯っていた。その横には、お多福人形が描かれた看板がある。

この界隈にはかつて〝二十軒茶屋〟と呼ばれる出茶屋が並んでいて活況を呈していた。天保の改革とやらで、芝居小屋が奥山に来たお陰で、この界隈は賑やかになったし、江戸見物の定番として浅草は外せないので、大勢の人たちが訪れた。

飲み屋や水茶屋も盛況だったが、先年の大凶作と疫病の流行のせいで、客足が鈍くなった。それでも『おたふく』は美人三姉妹が売りで、いつも満席だったが、近頃は近場から来る馴染み客がほとんどで、日本橋や神田の大店の旦那衆の足はプッツリ途絶えた。不景気が続き、商売相手を連れ歩いて、綺麗どころの姐さんのいる店などは贅沢になってしまったのだ。

「――本当に暇だよねえ」

溜息交じりに次女の梅が言うと、三女の竹もしょげたように頷いた。凜とした男勝りな梅に対して、竹は爽やかな笑顔のまだ十六の小娘である。

「何を贅沢なことを言ってるのよ。お客さんが来てくれるだけマシじゃないの」

厨房から出てきたのは、長女で女将の桜である。艶やかな色っぽさは、殿方なら誰でも溜息が出るくらいであった。

「暇って、店じゃなくて、あっちの方がね……悪い奴らも元気なくなったのかな」

梅がつまらなそうに言うと、桜は目配せをして、

「これ、よしなさい」

と窘めるように言った。江戸に蔓延する悪い奴らに〝お仕置き〟するのが、自分たちの使命なのに出番がないと憂えているのだ。

「ま、いいんじゃない。綺麗な道には、ゴミも捨てにくいもんね」

竹が舌をペロリと出して笑った。

この店では、美人三姉妹の他に、数人の綺麗どころが茶汲み女として雇われており、広間を衝立や屏風で仕切った座敷で、客を相手にしていた。茶汲み女とは言うものの、酌婦である。『おたふく』という店の名とは正反対で、美形揃いだというのが売りで

あった。

しかも、三姉妹はまさに浮世絵から出てきたような美女揃い。大概の客の目当ては、桜・梅・竹の三姉妹である。

実はこの三姉妹、二代目・喜多川歌麿の実の娘である。二代目・歌麿が描いた美人画はすべて自分の娘だというのが、もっぱらの噂だ。二代目・歌麿は戯作者としても知られており、歌舞伎なども書いたとのことだが、大した作品は残していない。

だが、絵師としては先代・歌麿を彷彿とさせる筆達者だった。早死にしたため数は少ないが、美しい三姉妹のことを、

「俺が残した最高傑作だ」

と文字どおり自画自賛していたという。もっとも、三姉妹が似ているのは母親の〝たか〟の方だった。絶世の美女だったという。

しかも、たかは先代・歌麿が溺愛していた若妻だった。三姉妹の父親は、鉄五郎というのだが、その後家に入り婿する形で、二代目・歌麿を名乗ることになったのだ。

歌麿という類い稀な天才を師匠に持ち、その女房を譲り受け、女房譲りの美人姉妹を三人も得たのだから、なんと幸運な男であろうかと、絵師仲間からも羨ましがられていたという。

その三姉妹の美貌を肴に飲みたいと、今日も北町奉行所・定町廻り同心、加納福

之介と岡っ引の半次が長尻で居座っていた。

　加納は、顔が大きく、目がギョロリと丸い〝叶福助〟に似ている。茶屋や女郎屋によく置かれている裃姿で座っている福助人形のことである。名前も似ているので、三姉妹は近頃、「福ちゃん」と親しみを込めて呼んでいた。およそ町方同心に対する敬意もない言い草だが、加納は馬鹿丸出しで喜んでいた。

　半次の方は、元は地元である浅草は、伝法院の寅五郎という俠客の子分だったから、四十過ぎても妙に迫力がある。使っている下っ引も江戸市中に五十人は下らないと豪語している。

「ああ、暇だなあ……事件がまったくないから、暇でしょうがないなあ」

　加納はもう酔っ払っているのか、愚痴っぽく言うと、

「旦那。あっしらが用なしってことは、世の中が平穏無事ってこってすよ」

　と半次が窘めるように返した。

「でもなあ、事件がなきゃ、俺は手柄を上げられないし、お奉行からの金一封もないからな」

「どうせ、ろくな手柄を上げたこともないじゃねえですか」

「なんだと、おいッ……新八、もう一本、持ってこい」

　呼ばれた新八は、この店の番頭兼用心棒で、あまり人相が良いとは言えないが、無

口で実直そうだった。実は、二代目・歌麿の内弟子をしていたことがあり、三人の娘を頼むと言われていた。

「あっしは旦那のお父上から、どうにか一人前にしてやってくれって頼まれてんでやす。もう少し頑張って下せえよ」

「また親父の話か……どうせ俺は悪党に恐れられた親父とは違って、ヘボ同心だよ」

「分かってたら、こんな所でクダを巻いてないで、ひと廻りしやしょう。事件は足で探せって、親父さんは言ってたでやしょ」

「うむ……今夜は寒いから、明日にしよう」

「けど、盗人らは、人びとが寝静まったところを狙うんでやすよ」

「じゃ、半次。おまえが探してこい」

「宝探しだと思って、さあさ参りやしょう」

半次が無理矢理、加納から徳利を取り上げようとしたとき、

「ぎゃあああ！」

と表で、もの凄い男の叫び声がした。と同時に、半次は店から飛び出した。

加納も急に目が覚めたように、おっとり刀で追いかけると、すぐ近くの路地には
——血だらけで倒れている男がいた。

側溝に足を取られながらも這いずっている男の背中を、別の人影が刃物か何かで刺

そうとしている。半次がとっさに、礫（つぶて）を投げつけると、人影の顔に当たった。

「北町の者だ、御用だ！」

半次が大声を上げると、人影は「くそッ」と吐き捨てて翻って逃げた。

「お、追え、半次」

言われるまでもなく半次が追いかけると、加納はすぐに倒れている男に近づいた。

辻灯籠（つじどうろう）に浮かぶ姿を見ると、刃物による傷だけではなく、粗末な着物も所々破れており、全身血まみれである。

「⁉——なんだ、どうしたんだ」

加納が抱え上げるのもためらうほど、男は傷だらけで、意識もほとんどない。先程の叫びは、最後の力を振り絞ったのであろう。

「旦那。店に入れてあげて」

後ろから、桜たちの声が聞こえた。

「え、ああ……」

動きの鈍い加納を押しやって、梅が男勝りの力で抱えようとすると、「あっしが」と新八が来て背負って店に運び込んだ。

二

翌日――浅草雷門前の自身番で、その男から、加納は事情を聞いていた。

桜が応急に手当てをした後、近くの町医者に来て貰ったのだが、傷は相当なもので、何が起こったのか分からないほど酷いものだった。

ようやく話せるくらいに快復すると、三十絡みのその男は、太助だと名乗った。かつては佐渡金山で水替え人足をしていたという。中には咎人紛いのことをして〝佐渡送り〟にされた者もいるから、素性は良くない男かもしれない。

江戸に来て、普請場の人足もしていたが、金になる話があるからと、目黒の雑木林を開墾する手伝いにいったがため、このような目に遭ったと話し始めた。

つい昨日のことである。

荒野のような小山の一角に、ポツンと真新しい小屋があった。一間四方くらいの俄作りのものである。

その小屋から、五間程離れた所にある木立には、ふたりの男が縛り付けられていた。ふたりとも、「やめてくれえ！　助けてくれえ！」と悲痛に叫んでいる。

このふたりが太助と、同じく普請場人足の小市である。

ふたりの視線の先には、大地を這う導火線があって、ジリジリと小屋に向かって火が走っていくのが見える。導火線の先端は小屋の中まで繋がっているようだ。

「やめろ！　やめてくれえ！」

そして、地面を這う火は、小屋の中に到達した。次の瞬間、

——ドカン、ドカン！

と轟音がして、小屋が吹っ飛び、太助と小市の顔が閃光と轟音に包まれた。

粉々になった小屋の破片は、木立に縛られたままのふたりの所まで飛来し、尖った材木の先が胸に突き刺さった小市は絶命していた。周辺にあった石ころも吹っ飛んで、ふたりの頭を直撃していた。

余燼収まらぬうちに、離れた岩陰から、一群の侍の群れが現れた。僧形風の武士を筆頭として、その家来風らが数人、ゆっくりと木立のふたりの所まで近づいてきた。

太助も小市も血だらけになって、ガックリと首が折れている。

「ふむ……今ひとつだのう」

僧形風の武士が辺りを見廻しながら、溜息交じりに言った。

「と申しますと……まだ火薬の威力が足りないということでしょうか」

家来風のひとりが訊き返した。

「まったく足りぬわい」

小市に突き刺さっている材木を手で叩(たた)いて、僧形風はもはや跡形もない小屋の方に近づきながら、

「小屋が、あの御仁(ごじん)の座る所とすれば、それより五間程隔てたこいつらは、少なくとも手足や首が吹っ飛んでくれなくては困る。周りに控える者たちもすべて、一度に殺すためにはな」

目に凶暴な光を帯びた僧形風の武士は、そう言いながら傍らの遊び人風の方を向いた。

「紋次郎(もんじろう)……せっかく、おまえが連れてきたこのふたりだが、かような始末となった。火薬を扱えると聞いていたが、大した腕前ではなかったな」

「相すみません」

恐縮したように頭を下げた紋次郎と呼ばれた遊び人は、左頰から首にかけてある刀傷をひと撫(な)でして、

「また探しやす。どうせ始末をしなきゃいけねえし、てめえが仕掛けた爆薬で死んだんだから本望でやしょう」

と冷ややかに答えた。

「しかし、このままでは手筈どおりにいかぬ。至急、今ひとり、火薬に通じたものを

連れてこい。礼金はたんまりと払うとな」

「命が対価とは知らずに……へえ、お任せ下さいやし」

ニンマリと笑った紋次郎の目が、木立の方を見て、アッと見開かれた。

縄が解けて木からズリ落ちた太助が、必死にこけつまろびつ雑木林の方へ逃げ出したのだ。どうやら、太助の方は九死に一生を得たらしく、足を引きずりながらも懸命に逃げている。

「生きてたのか……待ちやがれ！」

とっさに僧形風の武士は脇差を抜いて投げたが、太助の背中を掠めて木に突き立った。その横を擦り抜けて力の限り、太助は逃げた。

「やはり威力が足りぬな。おい、逃がすでないぞ！」

僧形風の武士が叫ぶまでもなく、家来風たちは一斉に追いかけた。

紋次郎は健脚らしく、獣が獲物に迫るようにあっという間に近づいた。太助の目の前には等々力渓谷があって、一瞬、足が止まって竦んだ。だが、背後には紋次郎や家来風らが迫ってきている。

「騙しやがったな、ちくしょう！」

声の限りに太助は叫んだが、跳ねるように近づいた紋次郎が匕首を突き立てようとした。その寸前、太助は仰け反るようにして、渓谷に転落した。

そこまで話した太助は、我に返ったように、

「どうせ殺されるなら……と思って飛び降りやした。崖の上から見ている奴らの顔もハッキリ覚えてるくれえで……でも、その後、気づいたときには、何処をどう来たのか、渋谷村の外れの方に来てやした」

と痛々しい体をさすりながら言った。

「ところが、奴らは崖から落ちた俺のことを、ずっと探してたんでしょう、時折、紋次郎の姿を見かけたので、当てもなく逃げていたんです。そしたら……」

「俺たちに助けられたのだな」

「へえ……吉原裏には、ちょいとした知り合いがいるので頼ろうかと」

「おまえを襲っていたのは、その紋次郎という奴なのだな」

「さいです……本当にありがとうございやした。命拾いしやした」

「おまえは、一体、何をして、何故、そんな目に遭ったのだ……」

加納の問いかけに、太助は急に心細くなったように泣き声になって、

「下手に火薬が扱えたばかりに……へえ、佐渡で学んだんでさ……田舎で暮らしてる女房子供に少しでも楽をさせようと、桁違いの金に飛びつこうとしたばっかりに……」

と震えながらも、子細を話し続けた。

北町奉行所の詮議所では、北町奉行の遠山左衛門尉景元（とおやまさえもんのじょうかげもと）が直々に、加納から太助の話を聞いていた。

四十過ぎの男盛りの遠山は、三十半ばに家督を継いで西丸小納戸頭取格（にしのまるこなんどとうどりかく）になってから、小普請（こぶしん）奉行、作事（さくじ）奉行などトントン拍子に出世し、勘定奉行を経て北町奉行に就いている。異例な出世を遂げたのは、長崎奉行や勘定奉行として立派な功績を残した父親・景晋（かげくに）の影響があろう。

遠山自身は三十半ばまで、芝居小屋で端番（はなばん）という木戸番や下足番のようなことをしながら、やくざ者と喧嘩（けんか）に明け暮れた放蕩者（ほうとうもの）だった——というのがもっぱらの噂であるが、本人も隠すことなく認めている。

ゆえに町人の暮らしぶりや、まっとうな職に就けない下々の様子も熟知している。だから、此度（こたび）の太助のような男の気持ちを汲み取ることができるのだ。

「その太助という男は、佐渡帰りですが、自分の身にあったことをすべて話しました。爆破によって、一間四方の小屋が吹き飛ばされ、五間程離れて立木に縛られた小市という男とともに殺されそうになったと」

加納が状況を伝えると、遠山は驚きながらも訝（いぶか）しむ顔で、

「つまり、そこでは火薬の威力を試していた……ということだな」

「はい。太助は佐渡で、小市も普請場などで火薬の扱い方は熟知していたそうです」

「爆薬を仕掛けさせた上で、その威力で死ぬかどうか生贄にするとは、人のやることではないな」

「試すのと同時に、口封じをしようとしたのかと……辛くも逃げてきた太助は、そう言っております。一味の指揮は僧形風が執っていたとのことですが、誰かまでは知らないそうです」

「だが、太助を大枚をはたいてまで誘った奴がおるのであろう」

「はい。それが浅草まで追いかけて殺そうとしていた、紋次郎という遊び人だそうです。頬の辺りに刀傷があるとか。年の頃は、太助より少し年上、三十五、六に見えたとか」

遊び人という言葉に、遠山はわずかに表情が強張ったが、加納は思わず、

「もしかして、お奉行は心当たりでも？　昔は〝遊び人の金次〟とか呼ばれて、江戸市中を肩で風切って闊歩していたとか」

「誰がだ……」

「お奉行がです……あっ。こ、これは失礼をば致しました……た、ただの噂です」

「別に隠すつもりはないがな、その紋次郎とやらと同じ扱いをされると、ちとむかつ

く」

「と、とんでもございません……〝遊び人の金次〟ってのは、強きを挫き弱きを助けるって評判でしたよね、はい。その精神が今やお奉行になって実践されているかと思うと、私も同心として心強うございます」

へいこら言い訳をする加納を、冷ややかに見やった遠山は言った。

「おまえの親父は、そんなんじゃなかったがな……まあよい。おまえも励め」

「きょ、恐縮至極でごじゃりましゅる……あああ」

呂律を整えてから、加納は続けて、

「その憎形風は、生贄がバラバラにならなければ不満だと家来に発破を掛けていたそうです。あ、洒落ではありません」

「……」

「その爆破した所に、半次と……私の岡っ引ですが……」

「そやつなら知っておる。おまえの親父の右腕だった」

「え、ご存じでしたので……ま、いいや。昨夜は、紋次郎らしき男に逃げられたのですが、目黒川の方にある空き地までひとっ走り調べにいったところ、たしかに燃えたような痕はあるのですが、ガラクタになった木材などはほとんど片付いてました」

「ふむ。威力が弱くて気に食わないとなれば、またぞろ試しに爆発させるであろうな」

「また太助は利用されるか、さもなくばやはり口封じに消されるかも……」

「さようか……ならば太助は充分に守ってやり、妻子の元に返してやれ」

遠山がそう言うと、加納は意外という目になって、

「えっ……でも、こいつは金のためとはいえ、一応、御府内で爆薬を仕掛けたという罪を犯したのですから……」

「捕縛して処刑せよというのか」

「それが御定法に従うということでは……」

「おまえは血も涙もない奴なのだな。太助というものは、情けをもって助けてやれ」

「あ、お奉行も駄洒落を……相すみません」

なんだか嬉しそうに笑う加納に、遠山は険しい目を向けて、

「その侍たちは、一体、どんな物凄い火薬を求めているのか。そして、爆破をして誰を狙おうとしているのか……また次なる火薬を扱う者を金で操り、同じことをするやもしれぬ。それを止めるため、奴らを探し出すのが、おまえの使命だ」

「えっ……そんな大それたこと……」

「嫌なら、今すぐ十手を返上して、同心をやめるがよいッ」

少し腹立たしげに立ち上がった遠山は、

「おまえの親父の顔を立ててやるのは、そろそろ終いにせねばならぬな。出来損ないの同心を雇っておくほど、町奉行所は余裕がないのでな」

と吐き捨てるように言って詮議所から立ち去った。

「お、お待ちください、お奉行……辞めさせられたら、私は……」

情けない声で追おうとすると、控え部屋にいた年番方の与力が止めて、

「下手人を挙げろということだ。太助から今一度、詳しく話を聞いてから解き放し、殺された小市という男の無念を晴らしてやれ」

と叱咤激励した。

「は、はい……できるだけ、頑張ります」

加納は米つきバッタのように、情けないほど頭を下げるのだった。

三

隅田川の花火が、ドドンドドンと気持ち良く夜空を染める。

そのたびに、橋の上や土手に並ぶ見物人たちは、「玉屋あ！」「鍵屋あ！」と掛け声を上げた。花火問屋の「玉屋」と「鍵屋」は両国橋を挟んで、競うように打ち上げる。

上流が「玉屋」で、下流が「鍵屋」だが、優劣つけ難く、厄除けの祈禱も相まって、

気持ちが晴れ晴れするほど美しかった。

その花火を見上げながら、加納は両国橋西詰めから土手道をぶらぶらと浅草の方に歩き、いつしか『おたふく』にたどり着いていた。

「おや、いらっしゃい。連日、お疲れ様です」

桜が弾む声をかけると、よれよれになった加納は店の片隅に座り込んだ。

「あら、福ちゃんらしくない。何か嫌なことでもありましたか」

「──そりゃ、疲れもする……」

「やはり、そこで助けた人のことでですか」

「いっそのこと出会わなきゃよかった……別の誰かが見つけて助けりゃよかったのだ」

「そんな言い草をしていると、半次さんに叱られますよ」

「その前に、お奉行直々に同心を辞めろだなんて叱られた……桜さん。慰めてくれ」

へたり込む加納の肩にそっと触れて、

「冷やで宜しいですか。越後から、とても美味しいのが入ってますよ。佐渡の酒です」

「佐渡か……こうなりゃ飲んでやる」

加納が自棄気味に言うと、隣に座った桜が興味ありげに、

「そんなに厄介なことなのですか」

「ああ。太助って奴が殺されそうになった訳はな……」

と、一とおり説明をしてから、気を許しているのか奉行に叱られたことも話した。

「それで、色んな普請場や鍛冶職人から、花火問屋まであちこち訪ねて、火薬を扱える者が引き抜かれなかったか訊いて歩いた。何軒探しても見つからず、足が棒になったのだ」

「そりゃなりますよねえ……でも、そんな悪さをするなら表立って探しはしないんじゃありませんか？」

「とはいっても、地道に探すしかないんだよ……早く酒をくれよ」

急かすように加納が言ったとき、半次が入ってきて、

「旦那。一緒に来て下せえ」

「嫌だよ。今、来たばかりで、まだ酒に口もつけてない」

「飲む前でよかった。でないと仕事にならねえ」

半次は強引に、加納の袖を摑んで、

「あっしの知り合いの花火師が、大金を払うからと、ある仕事を頼まれたってさ」

「え⁉――今、なんて言った」

「とにかく来て下せえ。両国橋の近くだから、目と鼻の先だ」

「冗談じゃないぞ。今、そっから来たばかりなんだから」

と言いながらも仕方なく立ち上がった加納は、半次に引っ張られるように、まだ夜空に華々しく広がっている花火の轟音の下を駆けていった。

辿(たど)り着いたのは、打ち上げ花火がすべて終わったばかりで、火薬や道具などを片付けている要三(ようぞう)という若い職人だった。

「さっきの話を、もう一度、加納の旦那にしてやりねぇ」

半次が勧めると、要三は素直に話した。

「十両出すから手伝ってくれって……けど、こちとら花火職人だから、滅多な所じゃ火薬は扱っちゃならねえと断ったんだ」

「で、仕事の中身はなんだというのだ」

「それがハッキリとは言わないんでやすよ。その辺りも気に入らなくて断ったんですがね……『十両で不満なら三十両、いや五十両出す』なんて言うものだから、余計に気味悪くなってね。それでも諦めねえ」

「よほど、おまえの腕がいいのだな」

「そうじゃねえよ……」

決まり悪そうな顔になって、要三は辺りを見廻して、小声になった。

「――俺を誘いに来たのは、牢屋敷(ろうやしき)で一緒だった奴なんだよ。牛松(うしまつ)って奴で、今は何をしてるか知らねえが、やばいことばかりしてるようだった」

「おまえはどうして牢屋敷なんぞに……」

加納が訊くと、要三は苦笑いで、

「そいつは半次親分に訊いて下さいよ。でも、ちゃんと足を洗って、こうして職人になった。半次親分のお陰でさ。雇ってくれた親方も昔のことは承知してくれてるが、職人仲間たちは知らねえ。だから……」

「分かった。余計なことは言わぬし、おまえを巻き込むこともないから安心しろ」

チラリと加納の脳裏に、遠山の顔が浮かんで、正義漢ぶって言った。

「へえ、ありがとうございます。で……牛松はまだ俺のことを、昔みたいに金で転ぶと思ってるんで、しつこくて昔のことをバラすって脅してきたんです」

「ろくでなしだな……」

「でも、そいつも誰かに脅されてるみたいで、助けてやらねえと殺されるかも……そんな気がしたんで、半次親分に……」

「そういうことか。後は任せろ。牛松の居場所は分かるのだな」

「へえ。たしか……」

深川（ふかがわ）の富岡八幡宮（とみおかはちまんぐう）の裏手にある長屋だと聞いた加納が、早速出向くと、要三と同じ年頃の牛松が顔を出した。むさ苦しいくらいの髭面（ひげづら）だった。

「あっ――！」

すぐに察したのか、牛松は勝手口から逃げ出したが、そこには半次がいて、一瞬にして床に叩き倒された。

「ちくしょうッ。要三のやろう、なんか喋りやがったな」

暴れる牛松を押さえつけて、半次が言った。

「要三はすっかり素ッ堅気なんだ。ガキの頃のように、博打場から金を盗んだり、女を騙して金を巻き上げたりしてねえんだよ」

「イテテ……」

「だから二度と近づくんじゃねえ。分かったか」

「わ、分かった……イテテ……分かったから放してくれえ」

「その前に訊きてえ。おまえに火薬職人を探させているのは、何処の誰でえ」

「し、知らねえ……」

「惚けるなよ。そいつの所に要三みたいな者を連れていかなきゃ、おまえも痛い目に遭うんだろ。そんな奴の言いなりになってると、そのうち殺されるぞ。目黒の原っぱで爆死した小市みてえにな」

「⁉――し、知ってるんですかい。そのことを……」

思わず洩らした牛松の首根っこを、さらにキツく押さえつけて、

「おまえに頼んだ奴のことを教えりゃ、それでいいんだ。そしたら、おまえも地獄から救い出してやる。要三のように真面目に働ける所も探してやる」

「イテテ……」

「さあ、どうするんでぇッ」

半次が鮮やかに白状させるのを、加納は感心しながら眺めていたが、

「誰なんだ、そいつは。紋次郎って奴ではないのか」

「そ、それも知ってたんでやすか……」

お見逸れしたとばかりに、牛松は悲鳴を上げながらもなんでも話すと言った。

その様子を――。

近くの物陰から、梅が聞き耳を立てていた。何かを納得したように、ニンマリと笑うと踵を返して立ち去った。

上野不忍池には月が映っている。

花火とは違った風情で、夜風に靡く柳が怪しげだった。池に面した畔には、うらぶれ長屋が続いており、入り口には〝立ちんぼう〟がいた。表は飲み屋の赤提灯を下げているが、二階の部屋で、ちょんの間稼ぎをする〝けころ〟という売春婦たちだった。

ぶらりとやってきた武家娘は、その一軒の前に立って、「ごめん下さいましな」と

声をかけた。島田に結って、上等な花柄の着物姿が艶めかしいくらいだった。〝けころ〟は場違いな娘を、訝しげな目で見やり、

「娘さんが来るような所じゃないよ」

と言ったが、その目が妙に馴れ馴れしくなった。

「おや、浮世絵から出てきたように、綺麗な娘さんじゃないか……新手の稼ぎ手かい」

「そうではありません。この店に、紋次郎という御方がおられますよね」

おっとりした声で尋ねた武家娘は——梅の扮装だった。売春婦は、同じ女とは思えないとばかりに溜息をついて、

「御方ってほどじゃないけど……紋さんなら、二階の奥にいるよ。なに、客が入っても、近頃は妙なのがいるので、用心棒として事が終わるまで様子を見ているのさ」

「さようでございますか。では、お邪魔して宜しいでしょうか」

「待ちなよ。呼んできてやるよ。下は酒場になってるから、一杯やんな。でないと、この辺りを廻ってる同心がうるさいからさ」

「何故でございます」

「いいよ、そんなことは……とにかく、ここで待ってな」

売春婦は店に入って、さらに狭くて急な階段を駆け上ると、しばらくして頰から首

にかけて鮮やかな切り傷のある男が降りてきた。あの夜、半次が取り逃がした男であることは、間違いなさそうだった。

「俺が紋次郎だが、おまえさんは」

左頬の傷を撫でながら、紋次郎は一瞬にして梅の美貌に目を見開き、値踏みをするように体をじろじろと眺めた。

「私は、梅子という者です。花火職人を探しているそうでございますね」

いきなり問いかけたが、別に驚いた様子も見せずに、

「誰が、そんなことを言ったんで？」

「さる筋から耳に致しました。宜しければ、私に、その仕事をやらせて下さいませんか。どうぞ、よしなに」

「なんだかよう。物騒な女だな……俺が探しているのは、腕の良い花火職人だ。何処のお武家の娘さんか知りやせんが、妙なことに首を突っ込むと火傷（やけど）をしやすぜ」

「はい。火傷なら慣れております。これでも、私の兄は肥前松浦（ひぜんまつら）藩士で、砲術方を勤めておりました。火薬については兄も私も知らぬことはありません」

「なんだ……!?」

紋次郎は訝しげに目を細めながらも、

「どうして、火薬の仕事が欲しいんでやす。金に困っているようには見えないが」

「いいえ。実は兄の高瀬小五郎は、ちょっとした不祥事で藩を追われ、浪々の身なのでございます。仕官先探しをしておりますが、何分、江戸は不慣れなもので……」

「そりゃ大変なことだな。だが、俺が決められることじゃねえ。そうだな……明日の暮れ六つ。浅草観音の前までお出まし願いましょうかねえ」

「そこなら、よく知っております」

「え……？」

「よくお参りしますので」

などと話していると、柳並木を歩いてくる加納と半次の姿が、店の提灯灯りに浮かんだ。それを見た梅はすぐに、

「あの者たちは、あなたを探していたようですよ。直ちに去った方が宜しいかと」

「!?――」

どうやら紋次郎にも覚えのある顔らしく、梅が話し終わらないうちに、長屋の裏手の方に逃げ去っていた。

四

翌日の暮れ六つ――逢魔が時と言われる刻限で、人の顔がハッキリとは見えなくな

る頃合いに、梅は昨日の武家娘姿のまま、浅草観音堂の前に立っていた。

紋次郎が来るかどうかは分からないが、梅は一か八かの賭けをしたのだ。紋次郎の方から、ここに誘ったからだ。

よほど、困ってのことに違いないと、梅は踏んでいた。

このことは、もちろん桜と竹にも話している。ゆえに、新八が何処かから用心棒として見張ってくれているはずだ。新八ももちろん、二代目・歌麿の娘たちが何をしているかは、百も承知しており、裏で支えてきた。

辺りがすっかり暗くなって、顔すら見えなくなった。だが、辺りの朱色の灯籠に灯りが灯り始めて、むしろ明るくなった。

すると、観音堂の裏手の方から、三人ばかりの羽織姿の侍が現れた。その後ろに、紋次郎の姿がある。

「梅子さんとやら……本気のようだな」

紋次郎が声をかけると、梅は嬉しそうに微笑みかけて、

「当たり前でございます。本当に困っておりますので……でも、来て下さるとはありがたいかぎりです」

「昨夜は、逃がしてくれたからよ、信じたまでだ。後は、このお武家様たちが相手をしてくれる。俺はここで……」

三人の侍の後ろに下がると、軽く頭目らしき武家に頭を垂れて、足早に姿を消した。

「案内しよう――」

頭目らしき侍は、「村木」だと名乗ってから、少し先までついて来いと言った。

「私の身許や火薬扱いの腕前を、調べなくても宜しいのですか」

村木と名乗った侍はニヤリと笑って、

「抜かりはない。既に肥前松浦藩の江戸藩邸に問い合わせておる。高瀬小五郎には暇を取らせ、梅子という妹もいるということもな」

「これは念の入ったこと……ということは、お大名に話ができるほどの御方がいらっしゃる……ということですね」

「余計な詮索はしない方がよい」

「はい。そのつもりです。私は決して、嘘偽りは申しません」

「高瀬の方は来ぬのか」

「これも、ご存じかもしれませぬが、今は病に臥せっております。それゆえ、私はどうしても纏まったものが必要なのです」

切実な表情の梅を見つめて、村木はなんとも言えぬ笑いを浮かべた。嫌らしい目つきというよりは、今すぐにでも梅に飛びかかりたいという欲望に満ちた顔である。

「おまえの兄は、火薬商人から幾ばくかの賄賂を取ったがために、国元を追い出されたそうだな」

「そこまで、お調べでしたか……やはり母上の薬代欲しさのためでした」

「さようか。俺はともかく、あの御仁は疑り深いのでな……」

「あの御仁……」

「おいおい分かる。余計なことだが、おぬし程の美貌ならば、あの御仁はためらうことなく、妾にしたいと言うであろうな」

「とんでもございません……」

梅が恥ずかしげに顔を伏せると、その前に厳重に目張りをした駕籠が運ばれてきた。武家駕籠としても立派である。

「これはまた凄い駕籠ですね……どういう御方か楽しみでございます」

「早く乗るがよい」

急かすように村木が言うと、梅は着物の前裾を取ってしゃがんで乗り込んだ。駕籠は持ち上げられ、ゆっくりと動き始めた。

駕籠の中から外はまったく見えない。

梅は右に曲がったり、左に曲がったり、何間くらい直進したのかを頭の中で数えていた。観音堂からの道筋を覚えておくためである。新八も尾けてきているであろうから、安心していた。

どのくらい進んだか、吉原近くの山谷堀にでも来たのであろう、そこから駕籠のまま大きめの川船に乗せられたようだった。櫂の音とともに流れも速くなる。

「――どうやら新八は巻かれたようだねえ……」

口の中で梅は呟いたが、目が駕籠の下に吸い寄せられた。細かい網目の下には、わずかに隙間がある。そこから、梅は持っていた紅白の交じった折り鶴を、たたんだまま船底に落とした。

川船が右左どちらに進んでいるのか確かめていると、葦の間をザザッと抜けるように通って、何処かの船着き場に到着したようだった。

そこから先はわずか十数間移動しただけで、何処かの門前に着いたようだった。迎えに出ていた者の声が聞こえ、ギギッと重そうな扉が開く音がした。そこでも、梅は駕籠の床の隙間から折り鶴を落とした。

門内に入ってしばらくすると、駕籠の動きがピタリと止まった。目張りが剝がされ、垂れ幕がはね上げられると、目の前には立派な料亭のような趣の屋敷があり、枯山水の広い庭が広がっているのが飛び込んできた。

駕籠を出て辺りを見廻すと、目の前には村木がおり、その周辺には家臣が十数人と浪人らしき者もおり、数十人はいるようだった。ちょっとした〝軍勢〟に見えた。

さすがに梅も驚いて目を見開きながら、

「……とても大がかりでございますね。これほど手の込んだことをなさるとは、よほどの火薬作りなのですね」

と感心したような声を洩らすと、村木が制した。

「余計な詮索はするなと言ったはずだ」

「でも、これだけのお屋敷をお持ちになる御仁ならば、私は火薬の手伝いをするより、ここの主（あるじ）の女になった方がよさそうな気がしてきました。その方がすぐにでも兄の薬を手にできそうな気がします」

「なにを、ほざいておる。まあ、それは御前様次第だがな、ふふ」

村木は嫌らしい目つきで笑うと、屋敷の中に招き入れた。家臣風らもぞろぞろとついてきて、浪人たちは屋敷周辺を警備でもするかのように散らばった。

廊下を歩いて行くと、大きな座敷があり、床の間には岩山を描いた水墨画の掛け軸が飾られていた。その掛け軸が動き、その奥に秘密めいた通路が現れた。

「これは……まさか、この奥に御前様がおいでなのですか」

「いいから、中へ入れ」

乱暴に背中を押され、梅はよろけるように通路に入った。

「何があるのです……少し不安になって参りましたわ」

「今更、泣き言はないだろう。そっちから願い出てきたのではないか」

梅が、村木に連れられてくると、そこにも家臣がいて振り返った。酒を飲みながら足を組んで、人相風体が悪い。

「なんだ、この娘は……」

「頼りになる新入りだ。梯子を下ろしてやれ、宮間」

村木に命じられて、宮間と呼ばれた家臣が、その先にある穴蔵のような地下に、竹の梯子を下ろした。

「ほれ、この下に入れ」

梅が穴蔵を覗き込むと、薄明かりの中で、半裸の男がふたり、何やら作業をしているのが見える。傍らには、硝石や木炭、硫黄などが入っている箱が見える。

「まさか……ここで火薬を作っているのですか」

「さあ、入って貰おうか、お姫様」

「でも、こんな所では、ちょっとした火でも燃えたり爆発したり、大変ですよ」

「そうならぬよう、上手く調合するのが、おまえたちの仕事だ。改めて指示を出すまで、この中で待ってな」

「え、そんな……」

「嫌なら、この場で死んで貰う。ここを見たのだからな」

村木の後ろに控えている家臣たちが、一斉に刀に手をかけた。梅は仕方なさそうに

俯いて、泣き出しそうな顔になって、

「分かりました……言うとおりにします。でも、お金は必ず下さるのですよね」

「できたもの次第だ」

「どうか、宜しくお願い致します。兄のためなら、なんでもしますので」

と梅は頭を下げて、梯子を降りていった。

穴蔵の底まで来ると、疲れ切ったような若い男がふたり、驚いた目で梅を見やった。場違いな綺麗な娘で、何事が起こったのだと、不思議そうに眺めている。

梯子はすぐに引き上げられ、上から村木が声をかけた。

「そいつは歴とした武家娘で、火薬にも詳しいらしい。例のことを教えてやって、ちゃんとしたものを作れ」

ふたりの男は怯えながら見上げているが、村木はニンマリと笑って、

「気に入ったら、ふたりで可愛がってやっていいぞ。何日も閉じ込められて、もやもやし続けておるであろうが、ハハハ」

と言いつつ上の蓋を閉じた。

途端に薄暗くなったが、微かに風が来るのは、通気口があるからであろう。

「──とんだところに来ちまったな」

「あんたみたいな武家娘がどうして、こんな真似を……」

男たちは梅を弄(もてあそ)ぶどころか、心配げに見やった。ふたりとも三十絡みで、屈強な体つきから見て、やはり太助のような鉱夫とか普請人足に見えた。そして、大柄な方が勘吉(かんきち)、少し細い方が弥七郎(やしちろう)と名乗った。

「私は、梅子と申します。ここで何を作っているのですか」

「後で詳しく教えるが、浅草寺でも吹っ飛ぶほどのものを……それにしても娘さん……なんだって、こんな真似を……」

勘吉の方が訊くのへ、梅が尋ね返した。

「太助さんや小市さんはご存じですか。やはり火薬の手伝いをしていたようだけど」

「えっ……ああ、太助とは佐渡で一緒だった。小市はこの弥七郎と昔馴染みだ」

「小市さんは亡くなりました」

「えっ……⁉」

「太助さんも大怪我をした上に、命まで狙われました。紋次郎に……村木という人の命令でしょうけどね」

ふたりは啞然(あぜん)としていたが、梅はひ弱そうな武家娘の表情から、ギラリと鋭い目つきに変わって、町方が調べている事情を説明し、

「あなた方もいずれ人身御供(ごくう)にされる。私が逃がしてあげます」

「——おまえさん一体……」

「その前に、このお屋敷の主が誰か教えてくれますか」

「俺たちもハッキリとは……でも知ってることは話すよ……ここから本当に抜け出せるのなら」

勘吉と弥七郎は地獄に仏とばかりに、梅を崇めるように見るのだった。

五

同じ夜、『おたふく』に舞い戻ってきた新八は、梅が乗せられた駕籠を見失ったことを桜に伝えていた。

傍らで聞いていた竹の方が驚いて、

「えっ。そんなあ……梅姉ちゃん、酷い目に遭わされたら、どうするのよッ」

「面目ありやせん」

「謝って済むことじゃないでしょ。新八さん、あなたいつも、私たちのお父っつぁんから守るよう頼まれてるなんて言ってるけど、こんな役立たずとは思わなかった」

「おっしゃるとおりです。もう一度、探してきますんで……」

腰を上げようとしたが、桜はすぐに止めて、

「梅がそう容易く、正体がバレるようなヘマをするとは思えないけれどねえ……」

と言ったが、竹は納得できない。

「いずれ、こんなことが起きるとは思っていたけれど……桜姉ちゃん、どうしてちゃんと止めなかったのよ。そもそも、今度のことなんて、何が悪いのかも分からないし、私たちが首を突っ込むことなの？　人殺しなんだから、町奉行所の仕事でしょ」

「気になったら、考えるより先に動くのが梅だよ。でも、ああ見えて意外と用意周到。そんなに心配することはないわよ」

「でも、川船で去ったものを探すっても、何処まで行ったか分からないじゃない」

「梅のことだから、道しるべになるものを残してるはずよ。いつもの梅は紅白と洒落込んで、紅白の折り鶴をね」

「かもしれないけれど、それだって何処にあるか……」

竹は不安が増すばかりだが、新八は気を取り直すように、

「とにかく、川筋をもう一度、隈無く探してみます。へえ、必ず何事もなく連れて戻ってきやすんで、大船に乗ったつもりで待っていて下さいまし」

「大船ではなく、川船でしょ」

竹が声をかけると、洒落にもならねえと項垂れて、新八は飛び出していった。心配げに見送る桜に、

「姉ちゃん……本当は、何か知ってるんでしょ」

と探るような目で訊いた。

「いつも末っ子の私にだけは内緒にして……自分たちだけで解決しようとしてる。私も十六なんですからね。ふたりに負けないくらい、なんでもできるんだから」

半ばムキになって竹が言うのを、桜は穏やかな顔で宥(なだ)めて、

「人にはそれぞれ向き不向きってものがあるでしょ。梅には梅、竹には竹にしかできないものもね」

「だから、なによ」

「あなたはじっとしているのがお似合いなの。危ないことには、足手まとい」

「そんな……！」

「でもね。役立たずとは思ってないから、自分のできることをしてくれる？」

桜は意味ありげに微笑んで、

「竹は歌が上手だし、芝居も大好き……その才能で、一芝居打って貰えないかな」

「一芝居……？」

「加納の旦那が追っている紋次郎って奴……用心棒をしていた女郎屋からもトンズラを決め込んだままなんだ。でも、上野の『おかめ』の女将から、ちょっと耳にしたことがあるのよ」

上野三橋(みはし)の『おかめ』とは、『おたふく』と人気を二分するほどの水茶屋である。

もっとも、『おかめ』の方は本当の〝おかめ〟揃いが売りで、それを楽しむ殿方の人気店だ。女将の名前が、お亀だから、店名を付けたのだが、桜の父親・二代目・歌麿とは古い付き合いでもある。

「お亀さんの話では……紋次郎って遊び人、ありゃ相当の酷い男でね、悪事だけじゃなくて、女もかなり泣かせてるようなんだ」

「あの顔で……って、見てないけど」

「ええ、あの顔で。でも、本気で惚れている女がひとりいるようなんだ。もっとも、それだって今だけのこと、飽きたら他の女のように塵紙のように捨てるだろうね」

桜が何を言い出すのか、竹は興味深げに聞いていた。

浜町河岸の外れ――山伏井戸近くの長屋を竹が訪ねたのは、翌朝のことである。

その昔、徳川家康入封の後、紀州根来の山伏百人がこの辺りに住み、根来同心と称していた。かつては名水だったとの評判だが、今は涸れている。

長屋の奥の一室、『縫い物、仕立て直し、承ります』と木札が軒下に垂れている部屋に、いつもの水茶屋女姿の竹が立った。

大きく息を吸った竹は、意を決したようにガラリと表戸を開けて、

「やっぱり、ここだったんだね！　あんたは一体、誰なのさ！」

と大声を上げて怒り肩で踏み込んだ。

「えっ……？」

驚いて振り返った二十半ばの女は、縫い物をしていた手を止めて、

「ど、どちら様ですか……」

と不安げに訊いた。

竹は構わずズカズカと押し入り、乱暴に家探しを始めた。奥の衝立の裏やちょっとした押し入れなどを開いて、意味の分からない言葉を吐いている。

「やめて下さい。何をするんです！」

女は立ち上がって、思わず竹の手を摑んだ。ギラッとした目で振り返ると、竹は相手の腕を思い切り払い除（の）けて、

「あんたが、お佐江（さえ）さんだね」

「え……？」

「何処に隠したんだい。惚けても無駄だよ。紋次郎さんは何処にいるんだよッ」

「――も、紋次郎さんが、どうかしたんですか……」

「どうかしたんですか、じゃねえよ。私が死ぬ思いで貯めた金を、洗い浚（ざら）い持ち逃げしたんだよ。もしかして、あんたがやらせたのかい、ええ！　綺麗な顔して、とんだ食わせものなんだね。何が縫い物、仕立て直しだよ。こんなことしなくたって、わん

さか金はあるでしょうがッ」

竹は、佐江が縫っていた着物を蹴飛ばし、

「ちくしょうッ……女房にしてやるっていうから、散々貢いだんじゃないか……私の稼ぎじゃ足らないからって、借金までして！　甘い言葉で騙しやがったんだ」

「女房に……」

呆然と見ている佐江に、竹は興奮した態度で、

「なのに、こんな女房がいるだなんて！　紋次郎を殺して、私も死ぬ！」

と芝居がかって喚いた。

佐江は何も言わず、ただ呆然と見ていたが、ぽつりと呟いた。

「あなたは……『信濃屋』の久美さんではないのですか」

「はあ……？」

竹の方が素に戻って、不思議そうに見た。

「誰、その久美って……」

しばらく佐江は、竹の顔を見ていたが、俄に悲しそうな表情になって、

「あなたはまだ若いですね……水茶屋にでも勤めているのですか」

「——誰、その久美って……」

繰り返して訊く竹に、佐江は顔を伏せて座り込み、

「紋次郎さんが婿入りすることになっている、深川の材木問屋『信濃屋』のひとり娘ですよ……久美さん一筋かと思ったら、やはり他にも手を出してる女がいたんですね。しかも、こんな若い娘さんにまで……」

と深い溜息をついた。

竹は同情の目になったが、ハッと我に返ったように、

「な、泣きたくなるのはこっちだよ。『俺が惚れたのは、お竹、おまえひとりだ』なんて言ってさ。どうしてくれるんだい」

「お竹さんと言うのですか……」

「あ、いえ……まあ、そうだけど……しまった、本当の名を言っちゃった」

慌てた竹のつぶやきなど、佐江は聞いていなかったかのように、

「——紋次郎さんは、私にも同じことを言いました。おまえひとりだって……」

と寂しそうに言うと、つられて竹も座り込んだ。まじまじと佐江を見つめながら、

「やはり、あなたにも……まったく、なんてろくでなしなんだい」

「私は日陰の女でいいんです。紋次郎さんが『信濃屋』の旦那になれば、私ももう少しマシな暮らしができるかもしれない……そんな淡い夢を見てました」

「……」

「だから私も、あなたと同じように、一緒になれると思って、有り金残らずあの人に

……それでも、心の中で本当に惚れているのは、私ひとりに違いない……久美さんと一緒になるのも、私のためなんだ……そう思ってました……」

とめどもなく涙が溢れてきた佐江は、袖で頬を拭った。

竹の方も芝居だということをすっかり忘れて、佐江のことを情け深い目で見ていた。

「可哀想に……」

と思わず呟いた。

嗚咽し続ける佐江の手をそっと握って、

「こうなったら、私たちは同じ泣かされた女同士、あいつを探し出して、とっちめてやろうじゃありませんか」

「えっ……」

「あいつは時々、ここに来るんでしょ」

「しばらくは顔を見てません……もしかしたら、このまま……」

来ないのではないかと不安に満ちた佐江には、まだ未練があるのだろう。だが、金を吸い取るだけ吸い取られた挙げ句、自分は大店の娘をモノにして逃げる。

「でも、久美さんて人もただの金蔓かもしれないね。だって、そんな大店に婿入りする気なら、他の女から金を巻き上げることないし、あんな悪さをすることもない」

「え……あんな悪さ……？」

「誰かは知らないけれど、偉い人の提灯持ちみたいなことをして、火薬だの爆弾だのを作ることに手を貸してる。佐江さん……あんたには話してなかったのかい」

竹が踏み込んで訊くと、佐江は一瞬考えてから、

「もしかして、あのことかしら……俺は今、とてつもなく偉い人の下で、世の中を変えるほどの大仕事をしているんだって、酒の勢いで話してたことがあります」

「偉い人って、何処の誰なんです？」

「分かりません……名前は言ったことがないから……でも、その御仁に可愛がられるキッカケは命を助けたことでした」

「命を……紋次郎さんが、その御仁の命を助けたのですか」

「ええ。これも本人から聞いただけですが、その御仁が川に落ちて危ういところを、紋次郎さんが救い上げて、三日三晩、面倒を見たそうなんです」

「三日三晩も……」

「医者に連れていこうとしたけれど、その御仁は何か特別な任務を遂行していた途中だとかで、表沙汰になるのを避けたいと……」

「ふうん、そんな因縁が……」

竹は思い描いた。この御仁とやらは、かなりの身分の武士で、命の恩人を忠実な手下として雇ったということか、と。

「律儀なのですね、その御仁とやらは」

「ええ……あ、そういえば……」

佐江は立ち上がると、押し入れから、短めの懐刀を持ってきて、

「紋次郎さんは町人だけれど、主従の証だといって、これを下さったそうです」

と見せた。

受け取った竹は、鞘から出して見た。書画骨董は元より、刀剣にも多少の目利きはある竹は「なるほど……」と頷いた。まるで鑑定でもするように、まじまじと見ていた竹は、「立派なものですねえ……これを、ちょっとだけ借りていいですか」

「え、でも……」

「こんな大事なものを、あなたの所に置いていたってことは、やはり本命は佐江さん、あなたかもしれませんことよ。つまり、『信濃屋』の娘はただの金のなる木」

「……」

「必ず、すぐに返しますから。じゃあね」

竹は大切そうに懐刀を袖にくるんで、軽快に部屋から飛び出していった。佐江は何事もなかったかのように静まりかえった部屋で、「紋次郎さん」と切なげに呟いた。

六

川岸の地面に目を凝らしながら来る新八は、船着き場にある川船に目を止めた。

梅が乗せられた駕籠を運んだものだと、新八は勘づいた。駆け寄ると、船底には、紅白色の折り鶴が、なぜか開いて落ちている。

それを手にすると、ズッシリと重い。どうやら錘（おもり）が仕込んであって、落ちた瞬間に傘のように開く仕組みになっているようだ。風に吹き飛ばされぬ細工であろう。

「ありがてえ……ちょいと待ってて下せえやしよ、梅さん！」

新八は折り鶴を懐に入れると、その先に続く道の地面を見ながら歩いていった。

すると——大きな門構えの屋敷があった。門扉の片隅には、やはり折り鶴がある。

「ここか……」

見上げる新八の目には、気合いが入っていた。

その屋敷内の穴蔵には——。

まだ梅が閉じ込められており、見守る勘吉と弥七郎の前で、梅は夜通し、穴蔵の中にある火薬や道具を調べていた。

「硝石の量がやけに多いわね……硝石八に対して硫黄が一、木炭が一……そんなところでしょうかね」

「へい……とても娘さんが火薬に詳しいなんて思えないけれど」

勘吉は感心したように言ったが、梅は溜息交じりに、

「とてつもない代物を作れってことですよね……でも、これができあがった暁には、私たちは小市さんみたいに……」

と言うと、弥七郎は絶望の顔になった。

「やはり、どう足掻（あが）いても、太助も小市も逃げられなかったんだな……」

「え、逃げようとしたの？」

「ああ。こんな所に連れて来られたのは、俺のせいだって、小市は太助と一緒に見張り番が眠っている隙に、こっそり抜け出したんだ。必ず、奉行所に届け出て、助けに来るってさ……やっぱりだ！　俺たちは殺されるんだ！　だったら、こんなものはもう作るこたあねえ！」

弥七郎が頭を抱え込むと、勘吉も怒りが爆発したように壁を蹴った。だが、

「——妙だわねえ……」

と梅は白い頬を軽く撫でながら、ふたりの顔を見た。

「小市さんは爆破の犠牲になった。太助さんは九死に一生を得て命からがら逃げてたところを、紋次郎に殺されそうになった。八丁堀（はっちょうぼり）同心に捕まって、お奉行直々の調べ

にも答えた。でも、ここの場所のことは何も言ってない」

「えっ、そうなのかい……？」

「すぐに言えない事情が、太助さんにあったのかもしれないけれど、もし遠山奉行が知ったとしたら、すぐに乗り込んでくるはず」

梅が言うと、勘吉が首を横に振って、

「そりゃ、お奉行様でも無理かもしれねえな。だって、ここは誰かは知らねえが、雲の上くらいにいる偉い御仁の屋敷だから」

「雲の上……」

「もういいよ。どうせ俺たちゃ……殺される。だったら、世のため人のためだ。ここにある火薬をぜんぶ爆発させて〝討ち死に〟してやる。それがせめてもの俠気ってもんだッ」

弥七郎は唸(うな)るような声で言って、近くにある枡(ます)をひっくり返そうとしたが、梅はその手を摑むと冷静な声で、

「ただの犬死にになるだけだわよ。私たちが死んでも、また何処かから火薬を用立て、発破に詳しい職人らを集めるだけよ……そいつらを明らかにして、とっちめてやるしか、あなたたちが助かる方法はない」

と言った。

「でも、こっから逃げ出すことなんて……できっこねえ」

　今度は情けない声になって、弥七郎が言うと、やはり梅は状況を見極めて、

「そうかしら。私の目から見たら隙間だらけだけどねえ……箱に閉じ込められた鼠（ねずみ）は、一度、抜け出せないと諦めたら、もううろうろしなくなるって聞いたことがある……つまり、そう思い込まされているの」

「……」

「新しく抜け道を作ってやっても、そこから逃げようとしないのよ。でも、私たちには知恵があるじゃないの」

　鼓舞するように梅が言うと、勘吉は「なるほど」と頷いて、

「もしかして、娘さんは、相手の言うとおりの凄い爆弾を作れば、ここから抜け出すことができる。その隙に逃げる、とでも言いたいんですかい」

「やってみるしかないわね。ところで……屋敷を吹っ飛ばすほどの、この火薬で何を画策しているか、耳にしたことはある？」

「いや……そんなことは俺たちには話さないだろうよ」

「そうよね。とにかく作ってみせるしか、逃げ道はないと覚悟を決めて……」

　梅は、昨夜、勘吉らから聞いた話に従って爆弾作りをし始めた。その様子を見ていた勘吉と弥七郎は気圧（けお）されたように、

「あんた一体、誰なんだい……ただの武家娘じゃねえだろう……」

と訊いたが、梅は黙々と硝石や硫黄を混ぜ合わせ始めた。

丸一日かけて、勘吉と弥七郎とともに、丸く大きな火薬玉を数個、作り上げた。三人とも煤けた顔になり、手も真っ黒になっていた。なにより力仕事でもあるので、ヘトヘトになっていたが、梅は妙に元気だった。

「――娘さん……あんた一体……」

勘吉と弥七郎は感心するというより、不気味にすら思えてきた。

「さっき、遠山奉行の話をしてたけれど、本当は密偵かなにかかい……それで、ここにわざと入ってきて、何かを探ろうとしてるんじゃないのかい」

と勘吉が言うと、梅はこの人たちに隠すことはないだろうと、

「まあ、そのようなものだよ。すでに、ひとり死んでいるのだからね。いいえ、もしかしたら、これまでにも犠牲になった人がいるかもしれない。だから……」

「だから……？」

「私はそういう輩が許せないだけ。どんな理由があろうと、人の命を虫けらのように扱う奴は絶対に……！」

鬼気迫る梅を見ながらも、火薬の扱いに慣れているふたりは感心していた。

「――考えてみりゃ、火薬なんてもの、誰が最初に作ったのかねえ……」

と弥七郎が言うと、梅がさりげなく答えた。

「清国だよ。ずっと昔の唐って国があった頃には、もう作られてた。元々、岩や物を破壊するのが目的で、それから花火のように見て楽しむものとして使われたけれど、いつしか人殺しに使うようになった……人間ってのは危ない物でも一度手に入れると、使わないと気が済まないのかねえ」

「よく知ってるけどよ……なんだか娘さんらしくねえ言い草だねえ」

「花火玉は、丈夫な紙を張り合わせた〝玉皮〟の中に、星とよばれる色々な火薬の塊を並べるでしょ。その玉皮を壊して星を飛び散らせるために〝割り薬〟という別の火薬を入れる。それに導火線を付けてるんだけれど、飛んでいる間に〝割り薬〟に伝わって爆発する……そして、中心に埋められてる色々な色を出す火薬が、あの綺麗な花火となって輝かせるんだ」

「そういや、今年は隅田川の花火を見てねえな……ずっとこの穴蔵にいたからよ」

「大丈夫、来年は見られますよ……はい、また一丁、できあがり」

梅は、自分の両手でも抱えきれないほどの大玉を、床に転がして見せた。

そのとき、天井板が開いて、見張り役の宮間が顔を出した。

「——飯だ……下げるぞ」

と紐のついた盆を下ろそうとしたが、梅が声をかけた。

「火薬の大玉ができましたよ。夜なべでほら、ご覧のとおり」

　床に並んでいる数個の火薬玉を見せた。

「おお！　もう完成したのか！」

「さっそく試してみては如何でしょうか。私たちも、その威力を見てみたいです」

「分かった。少し待て」

　一旦、宮間は天井扉を閉めたが、しばらくして三人とも上がるよう命じられた。

　そこには、村木も待っていて、

「御前に、おまえのことを話したら、殊の外、興味を持たれてな……湯船に浸かって、汚れを洗い流せ……後で引き合わせてやる」

「勘吉さんと弥七郎さんも、労ってあげて下さい。この人たちがいなければ、できなかったことですので」

「分かっておる。おまえたちにも、湯に浸かった後に、酒を振る舞ってやる」

　気前良く言った村木のことを、梅はすべて信じたわけではないが、言われるがままに従った。湯浴みをしてから、奥座敷に通されると、そこには僧形風の男が中庭の池を眺めながら待っていた。

「——この女でございます」

　村木が声をかけると、僧形風が振り返った。池の鯉に餌を投げていた手が止まり、

「おおっ」と小さな声を漏らした。梅は屋敷内の女中の着物に着替えているが、湯上がりの色気もあって、その美しさに僧形風の相好は俄に崩れた。

「おまえが……肥前松浦藩縁りの娘か」

「はい。梅子と申します」

深々と挨拶をして、池を挟んだ離れの方に目をやると、勘吉と弥七郎が安堵したように酒を飲んでいる姿が見えた。

その向こうに、植え込みに潜んでいる新八の姿も認めた。

――どうやら折り鶴を見つけてくれたようね……。

新八はずっと様子を探っていたに違いない。ならば、勘吉と弥七郎のことを助けるに違いないと踏んで、梅はさりげなく目配せをしたが、僧形風は気づかず、

「火薬玉を運び出して、この目で見たところだが、なかなかの出来映えのようだ」

と感心していた。

「ありがとうございます」

「約束どおり、金をやりたいところだが、この際、どうだ。儂の女にならぬか。村木から聞いておるが、兄の病の面倒も一緒に見てやろうではないか」

「まことでございまするか」

「おまえの返事次第だ」

「ほんに嬉しゅうございます。その前に、爆薬の威力を披露しておきとう存じます」

「それは、こっちでやる。爆薬の成果を見るまでは、おまえたちを屋敷から出すわけにはいかぬがな」

「お疑い深いのですね。まずは、これで……」

梅は懐から、団子ほどの小さな火薬玉を出して見せた。村木は「何をするッ」と摑みかかろうとしたが、憎形風は「構わぬ」と制して、梅に近づいた。

「これで、何を見せてくれるのだ」

「私たちが作ったのは、これの数百倍の威力があるものです」

梅はおもむろに立ち上がると、短い導火線に行灯の火を付けるや、すぐに池に放り投げた。ポチャンと池の中に入った。

次の瞬間——ドカン！　と激しい水飛沫が上がった。

唖然となった憎形風の目に映ったのは、みるみるうちに水面に浮かんでくる鯉の群れだった。ほとんどは千切れたようになって、まさに血の池地獄のようだった。

村木はまた梅を捕らえようとしたが、憎形風は押しやって、

「見事じゃ……あんな小さな丸薬みたいなもので、これほどの威力のものを作るとは……ああ、凄いぞ、これは凄いッ」

と小躍りせんばかりに歓喜した。

「ありがとうございます。これが肥前松浦藩の鉄砲方の威力でございます。松浦藩は近年、日本近海に現れている異国船への防備にも力を入れているのでございます。しかも、この火薬玉は水の中でも爆発させることができます」

「なるほど……ふはは。これは愉快だ」

大切にしていたはずの鯉がぜんぶ死んでもなんとも思わず、爆発の威力を喜んでいる僧形風は、目を異様なほどギラつかせていた。

「――ふふふ。早速、新しい火薬玉の威力試しをするぞ。村木、準備を致せ」

僧形風が命じたとき、家来のひとりが、

「いません！　離れのあやつらの姿がありません！」

と駆けつけてきた。

「逃げたと思われます。早速、追っ手をかけましたが、何処にも……」

「捨て置け。奴らが何を話そうとも、ここには近づけぬ」

「しかし……」

「それより、生贄がおらぬな……標的の周辺、五間までの者すべてが吹っ飛ぶかどうかの」

「御前。五間どころか、十間離れていても爆破で死にます。しかも、大玉ひとつで……ですから、それ以上、離れて見学なさって下さいまし」

梅が伝えたとき、いつの間にか廊下に紋次郎が控えていて、

「生贄なら……私がご用立て致しましょう」

「ほう、おまえがのう。ならば善は急げだ。明日の暮れ六つまでに、儂のお鷹場まで連れて来い。足りなければ、周辺の農民も御用だと命じて呼びつけろ」

「農民までも……」

思わず梅が声をかけると、僧形風はまったく情けなど見せず、

「儂の領民も同然じゃ。主君のためなら死んで当たり前。松浦藩の猛者どもも命を賭けて異国船と戦うのであろう。それと同じじゃ。ふはは、楽しみじゃのう」

そう大笑いする僧形風は、明らかに常軌を逸していた。

七

その日の昼下がりには、甲州街道を歩く旅姿の紋次郎と佐江の姿があった。

手甲脚絆や草鞋には不慣れなのか、佐江の歩みは遅く、不安げであった。前を歩く紋次郎の背中を必死に追いかけながら、

「――そんなに急いで、何処へ行くのですか、紋次郎さん……」

と訊いた。

「だから言っただろ。あの御仁が正式に、俺を家来にして下さるんだ」

「あの御仁て……一体、何方(どなた)なのです」

「それは行ってからのお楽しみ。おまえにも会わせることになってる。いずれ俺の女房になる女だからってな」

「……」

「なんだ、そのシケた面は。遅れたら俺の顔が立たねえ。少しの我慢だ、さあ」

手を伸ばして急かす紋次郎だが、遠目には女房思いの亭主にしか見えないだろう。

しかし、佐江はずっと憂鬱な顔で、

「だって、おまえさんが女房にするのは久美さんでしょ……『信濃屋』の旦那に収まるんじゃないの？」

「馬鹿だな。それも、おまえのためじゃねえか。大店の主人に収まっても、おまえと一緒に暮らすつもりだった。けれど、その話ももうなしだ。なんたって、俺は誰もが吃驚(びっくり)するようなお武家様の家臣だぜ」

「……」

「金だけじゃねえ。権力だってこの手に入るだろうぜ。へへ、情けは人のためならずってえが、人助けしといてよかった」

「そこまで言うのなら、私も助けて……」

「だから、こうして……」

「そうじゃなくて、本当に女房にして貰いたい。私だけを大事にして貰いたい」

縋（すが）るように言う佐江に、紋次郎は何か言い返そうとした。その前に、佐江が、

「他にも女がいるでしょ。それも、ひとりやふたりじゃない」

と責めるように言った。

「昔のことだ。今はおまえだけ……」

「いいえ。この前も、まだ十六、七の若い娘が訪ねてきました。たしか、お竹という名で飲み屋かなんかの女風だったけれど」

「お竹……誰でえ、そんな女は知らねえ」

「嘘！　だって、その娘、紋次郎さんと夫婦の約束を交わしたって」

必死に訴える佐江だが、紋次郎の方は鼻で笑って、

「なんだか知らねえが、近頃は俺を妬んでる奴がいるようだからな、その女もきっとその仲間に違いねえ。気にするな」

「本当に……？　じゃ『信濃屋』の久美さんのことも……」

「言っただろ。ちょいとからかっただけさ。佐江……俺が祝言を挙げてえ女はおまえだけだ。だから、今日も御仁に紹介する。そして、御仁のお屋敷内に住む所も用意して貰える。ありがたい限りじゃねえか」

「信じていいのね……」

「疑り深い奴だなあ。俺にはおまえしか目に入ってねえよ」

紋次郎が抱き寄せると、佐江は「嬉しい」と微笑んだ。

佐江が連れてこられたのは、広々とした雑木林や原っぱが眺められる所だった。どうやら鷹場のようである。

江戸城を中心にして五里以内は、幕府の鷹場に指定されており、その外側の五里から十里の間の農村一帯には、御三家や御家門、有力な大名の鷹場があった。幕府から借りているので〝御借場〟とも呼ばれていた。

「――ここは何処なの、紋次郎さん……まさか、あれがお偉い御仁のお屋敷なの？」

原っぱの真ん中辺りに、粗末な小屋のような屋敷があった。お鷹場の休息場である。

それを眺めながら、佐江が訊くと、

「そうだよ。あれが俺たちの家だ」

「――それにしては、ちょっと古い気がするけれど」

「贅沢を言うねえ。あれは御前が鷹狩りをする所の屋敷で、俺はその番人だ。江戸のお屋敷にもちゃんと住む所がある」

「そうなの……」

不安げになった佐江の背後に立った紋次郎は、隠し持っていた縄を取り出し、いきなり縛り付け、さらに近くの木立に巻き付けた。

「あっ！　紋次郎さん、何をするの⁉」

「じたばたするねえ！　おまえはここで死ぬんだよ。粉々に吹っ飛ばされてな」

佐江をきつく縛りあげた紋次郎の顔は、鬼夜叉のように歪んでいた。

「ああっ。やめて、紋次郎さん……どうして、こんなことを！」

「おまえみたいな、しつけえ女は邪魔なんだよ。だから今のうちに始末しておかねえと、俺の先々が祟られらあ」

「そ。そんな……だって、さっき……」

「どうせ悲しむ親兄弟もいねえんだろうが。これが運命と観念しな。俺は、偉え侍になって、『信濃屋』の金も手に入れる。ハハハ、極楽みてえな暮らしが待ってるんだよ」

何か必死に言おうとする佐江だが、苦しくて声が出ない。

紋次郎は振り向いて、遠く離れた所の岩場の陰にいる村木たちに、大きく手を振った。そして、近くに仕込んである導火線に走り寄り、火打ち石で点火しようとする。
二、三度、打つが、上手くできない。
「ちくしょう……こんなときに……」

さらに数度、打つとようやく点火した。弾ける導火線はジリジリと休息小屋に向か

って走り出す。それを見届けて、紋次郎は素早く駆け去り、さらに奥の木立の方へ隠れようとした。その目が、

──おや……？

となった。今し方、縛ったばかりの佐江の姿がない。

「⁉──まずい……！」

紋次郎が木立の所に戻ると、背後からいきなり何者かに抱きつかれ、同時に縄を掛けられた。自分が佐江にしたようにグルグル巻きにされて、木立にきつく縛られた。

「だ、誰でえ……」

顔を出したのは、新八だった。

「惚れた女に酷え仕打ちをするもんだな。爆発の威力試しは、おまえの身で証してやるんだな。仕上げをご覧じろ、とな」

新八はニタリと笑って、素早く遠くに走り去った。

「お、おい……よせ、やめろ……やめろ！」

紋次郎は激しく体を揺すったが、びくともしなかった。

目の前の導火線の火が、ジリジリと音を立てながら勢いを増すかのように、小屋に向かって走っていくのが見える。

「誰か！　消してくれえ！　導火線の火を消してくれえ！　早くう！　消してくれ

え！……わああ、助けてくれえ！」

必死に叫ぶ紋次郎の声に、離れた所から村木が「あっ」と見やるが、もはや駆けつけても間に合いそうもない。むしろ、他の家臣たちとともに、さらに離れていく姿が見える。

炎が走る導火線を、紋次郎は叫びながら、ただ見ているしかなかった。その顔は恐怖に引き攣り、次第に泣き出しそうになってくる。叫ぶ声も掠れてきた。

だが、導火線に走る炎は、もはや止められぬ勢いで小屋に近づいていく。

やがて――炎は小屋の中に到達し、その瞬間、ドカンドカン、ドカンドカン！　と、この前よりも何倍も激しい爆音とともに、壁や屋根が吹っ飛んだ。

思わず目を閉じた紋次郎の顔にも、爆風と熱が感じられた。

だが……小屋の破片のほとんどは真上に舞い上がり、そのまま地面に落ちてきた。

「……？」

紋次郎の体には何も飛来しておらず、ただ遠く離れた小屋が壊れているだけだった。

しかし、紋次郎は恐怖のあまりか、小便を垂れ流し、ヘラヘラと頭がおかしくなったように笑っていた。

その燃え滓だらけの小屋に近くに――。

憎形風が近づいてきて、後ろから村木も追いかけてくる。

「どういうことだ、これは……まったく用を成しておらぬではないか。爆音だけは鼓膜が破れるほど大きいが、威力はこの程度か……おい、梅子とやら」

不機嫌な顔で振り返った先に、梅子も立っていた。

「おかしいわねえ……火薬の配合を間違えたかしら……それとも〝お玉〟ちゃんたら、ご機嫌が悪かったのかしら」

「――ふざけるな……」

俄に僧形風の目つきがガラリと変わって、

「もしや、わざとやったのか……おまえは何者なのだ、女……」

と近づいてきた。

その足下に、シュンと何かが飛んで来て、地面に突き立った。

「⁉――」

僧形風が思わず足を止めると、そこに突き刺さっているのは、竹が佐江の所から持ち去ってきた懐刀だった。

「これは……」

「あなたが紋次郎に主従の証に下賜したものらしいですね。これほどの立派な銘刀はありませんから、公儀の刀脇差目利所、本阿弥家に鑑定して貰ったところ、短刀名物、不動正宗……尾張家のものと判明しました」

「！……」

「しかも、ここは尾張家のお鷹場……あなたは先代藩主の娘婿、時正殿ですね」

「だ、誰だ……おまえは……」

「私が訊いているのです。でもあえて答えるとすれば、〝浮世絵おたふく三姉妹〟……またの名を〝紅殻小僧〟――悪党を懲らしめるために、なんでも盗みます」

「ふざけるなッ」

「おふざけなのは、そちらです。藩主に内緒で、かような火薬の試しを繰り返して、一体何をするつもりなのですか」

「……」

「もしかして、何処ぞで藩主を殺して、自分が収まるおつもりでしたか？」

梅は相手をじっと見据えて、

「遠山左衛門尉様は、この前の目黒での小市殺しの一件から探索をしておりましたが、この度、大目付と一緒に、あなた様を評定所に引きずり出す手筈を整えております」

「馬鹿な……」

「この爆破を、鉄砲の試し撃ちと称するには無理がありますね……この場で潔く腹を召されるか、それとも、せっかく僧侶姿をなさっているのですから、本当に頭を丸めますか」

「小賢(こざか)しい奴めが……」

時正と呼ばれていた僧形風は、腹立たしげに刀を抜き払うと、いきなり梅に斬りかかったが、ひらりと飛んで避けられた。

「おまえひとりで、刃向かえると思っているのか！」

家来たちが駆けつけてきて、周りを取り囲んで抜刀した。

身構えた梅の手には、例の団子ほどの丸薬がある。それを時正に見せて、

「これでドカンといきますか」

「……ハッタリだ」

次の瞬間、梅は丸薬を放り投げた。

数間離れた所で、ババババンと爆竹のように弾けた。驚いて家臣たちがしゃがみ込んだ隙に、梅はあっという間にさらに数間、離れた所に立っていた。そして、さらに丸薬を人のいない所のあちこちに投げて、激しく爆発させた。

呆然と立ち尽くしている時正に向かって、

「次はあなたの所に投げますよ。覚悟はいいですね」

「や、やめろ……！」

だが、梅は構わず、放り投げた。

「うわあッ」

頭を抱えてしゃがみ込んだ時正の上で、バコンと鈍い音がして小さな火花だけが散った。それを頭や背中に受けた時正は、

「アチチ……アチチチ」

と騒ぎながら、僧形頭巾を脱ぎ捨てた。

現れた顔は情けないくらいに貧相で、卑しい面構えだった。

「何をしておる。斬れ、斬れ！　こんな奴は叩き斬ってしまえ！　殺せえ！」

時正は叫んだが、家臣たちは動かなかった。元々、その身分によって偉そうにしているが、人望はなかったのであろう。

村木だけは決意をしたように、爆破された小屋の前に行くと背を向けて、一気に切腹をして果てた。

「――御免……」

その様子を見ていた時正は、ヘナヘナと崩れて、

「許せ……俺が悪いんじゃない……む、村木に唆されたのじゃ……見たであろう……あいつのせいなのだ……悪いのはあいつだ。あいつは不忠者なのじゃ」

と惨めなほど情けない声で繰り返した。

水茶屋『おたふく』は今宵（こよい）も、紅色の提灯が鮮やかに掲げられ、客足も悪くなかっ

た。ワイワイガヤガヤと華やかな声が湧いているところへ、加納と半次が顔を出した。

女将の桜は待ってましたとばかりに、両手を差し出して、

「付けの分も含めて、先払いでお願いしますね、福ちゃん」

と微笑みかけた。

「えっ……なんだ、いきなり」

「だって、お奉行様から、金一封頂いたのでございましょ?」

「ございましょって……なんで知ってるんだ」

「そりゃ、加納様の鮮やかな捕り物の噂はもう江戸中を駆け巡ってますわよ」

「……」

「小市殺しから始まって、紋次郎とかいう悪い男をとっ捕まえ、被害に遭ってた女たちを救い、その上、尾張藩の悪い家臣まで追い詰めて、あの目黒の爆破騒ぎを解決したとか」

「いやあ……なんでか知らぬが、紋次郎が俺の組屋敷(くみやしき)門内に縄で縛られて倒れててな……問い詰めたら吐いた」

「そうでしたか。それは大手柄」

「いや、だから……なんでか知らぬが……」

「まあ、いいじゃありませんか。金一封になったのですから。ハイ」

また手を差し出す桜に、仕方ないとばかりに加納は一両を渡した。嬉しそうに仕舞いながら桜は、「前払いということで預かっておきますね。さあさあ、奥へどうぞ」などと適当に言いながら押しやった。

奥からは、梅と竹も待ってましたよとばかりに手招きしている。

「ほんと現金な奴らだな……」

加納は来るのではなかったという顔をしたが、半次は苦笑いで、

「棚ボタだったのですから、今日はありがたく、綺麗どころと一緒に、美味い酒をたんと頂きやしょうや」

と背中を押した。

新八が「いらっしゃい」と声をかけると、半次はチラリと見やって、

「おまえも色々と苦労するなあ……歌麿の娘らにゃよ」

と訳知り顔で言った。

今宵も名月が空に浮かんで、江戸の夜風も心地よく吹いていた。

第二話　好色三人小町

一

隅田川の川岸に、惨殺された町娘の亡骸が倒れていた。その帯には、わざわざ浮世絵が一枚、挟まれていた。

駆けつけてきた北町奉行所・定町廻り同心の加納福之介と岡っ引の半次は、哀れな姿の町娘を見て、検屍をするのも躊躇うくらいだった。すでに自身番の番人らが筵に寝かせていたが、不思議なことに髪は綺麗に梳かされており、死に顔とは思えないほど鮮やかな化粧が施されていた。

「――加納の旦那……刺し殺されてる娘は、この浮世絵に描かれた女だそうですよ」

自身番の番人が言うと、半次は町娘の顔を見てアッと驚いた。

「たしかに、この娘は……三社祭で、小町娘に選ばれた水茶屋『菖蒲』の美雪じゃねえか」

「どういうことだ……」

加納も俄に不安な顔になって、

「先日も、三社祭の小町娘が殺されて、やはり浮世絵が挟まれていた……浅草寺参道の団子屋の娘、お光だった……どうして小町娘がふたりも続けて！」

と言葉が上擦った。

「旦那。しっかりして下せえ。これは明らかに、小町娘を立て続けに狙った殺しだ」

「あ、ああ……」

「しかも、人を嘲笑うかのように、この浮世絵をこれ見よがしに置いている。娘たちに恨みがあるのか、それとも……」

「それとも……」

「ただ面白がって殺しをしている輩か……旦那。性根を入れて探索しなきゃ、なりやせんぜ。その十手に賭けて」

半次に言われるまでもなく、加納はそのつもりだが、目の前の可哀想な娘を見ていると、怒りよりも哀れみが増してきた。まだまだ若い娘たちである。長い人生があったはずなのに、こんな残虐な殺され方をして、かける言葉もなく、ただ手を合わせるだけだった。

三社祭とは、浅草神社の氏子四十四町を中心にした祭りで、勇壮で華やかな神輿を主とした江戸で一番の祭りだ。お囃子屋台をはじめ、鳶頭木遣りや芸妓たちの手古舞などの大行列が続く。早朝の〝宮出し〟から日没の〝宮入り〟まで、浅草が祭り一色になる。神輿を荒々しく揺らす〝魂振り〟で、豊作や豊漁を願う。さらに、悪霊退散の願いを込めて、獅子舞が続くのだ。

この祭りの最中に、まだ十八歳以下の三人の美女が選ばれ、三社祭小町と称される。今年は、水茶屋の美雪、団子屋のお光、そして札差『大黒屋』の娘、お篠が選ばれていた。そのうちのふたりが、わずか数日の間に殺されたのは明らかに異常だった。ふたりとも背後から刃物で刺されており、背中から胸に突き抜けるほどの残酷な手口である。そのやり口から見て、刃物はかなり長いはずだから、武士の仕業かもしれなかった。

小町娘が襲われたとあって、読売屋が飛びつく怪事件のため、逆に浮世絵は飛ぶように売れるようになったのである。

――若い小町娘の命が散った。いずれアヤメかカキツバタ。美しい錦絵となった娘が何故殺されなければならぬのか。小町娘の儚き夢は消えてしまった。

などと、まるで殺しを楽しむかのような文面に、奉行所は自制するよう読売屋に命じた。そして、次なる被害者が、札差『大黒屋』のお篠になりかねないと踏んで、出歩くのを止めさせ、さらに岡っ引や下っ引を店の周辺に張り込ませていた。

その事件の噂は——水茶屋『おたふく』の客たちの間でも盛り上がっていた。

人の死を噂するのは不謹慎ではあるが、立て続けに殺されたのが、三社祭で選ばれた美女小町となれば、酒の肴になって当然だった。

「でもよ、三社祭小町といっても、この店の三姉妹には足下にも及ぶめえ」

「そうだ、そうだ。選ばれたのはたしかに美形だが、親が見得で金を払ったって噂だぜ」

「ああ、箔を付けて嫁の貰い手を増やすとか、いい婿を探すとかよ」

「でなきゃ、『おたふく』三姉妹が選ばれるだろうぜ」

などと好き勝手なことを想像で言っている客を、桜が窘めて、

「浅草寺の境内に集まった大勢の人たちが選ぶのだから、金では入れ札が集まりませんよ。それに、私はどの娘さんも本物に会ったことがあるけれど、みんな羨ましいくらい綺麗だわよ」

「女将がそんなことを言うと、皮肉にしか聞こえないなあ」

客は褒めているつもりだろうが、桜はピシャリと、

「本当です。もっとも……私も十七のときに選ばれたの、知ってました？」

「おっ。女将、さりげなく自慢したね」

「あれから五年……もうとうが立ちました。妹の梅も選ばれましたよ。これも二十歳ですからねえ。そろそろ嫁に行かせたいんだけれど、お転婆だから貰い手がない」

「またまた、そんな……だったら、俺が千両積んででも貰いてえくらいだ。アハハ」

「千両くれるなら、喜んでいきますよ」

梅も調子を合わせて笑った。そんな馬鹿話をしている傍らで、何故か竹だけが浮かない顔をしていた。

「どうしたんだい、竹ちゃん……」

客のひとりが気がついて声をかけると、竹はしょんぼりと、

「だって……なんで私は選ばれなかったのかなあって」

「なんだ、そっちかい」

「お姉ちゃんがふたりとも選ばれたのに、私だけ……」

「大丈夫。十八までにはまだ二年ある。その間に、選ばれるよ。ハハ」

「違うわよ。私が選ばれていたら、下手人は私を狙ったはず。そしたら、返り討ちにしてやったのに……そう思って」

竹の言い草に、客たちはなんと返してよいのか分からないふうに笑った。だが、竹は本気でそう思っているようだった。

翌日——桜は浅草御蔵前の一角にある札差『大黒屋』を訪ねた。他の札差や米問屋と比べても間口も広く、堂々たる店構えだった。

主人の錦右衛門は『おたふく』にとっても上客で、御蔵の役人などを接待するために通ってくれていた。年の頃はもう五十過ぎの初老だが、金廻りが良いので、まだ脂ぎった雰囲気はある。

娘のお篠がまだ十八歳なのは、少し遅くにできた子だからだ。母親はもう十年近く前に病で亡くなっており、錦右衛門はひとり娘を手塩に掛けて育ててきた。

「本当に無事でよかった……でも、まだ分からない。もしものことがあったらいけないから、絶対に外に出かけないでね」

桜はまるで親戚のお姉さんのように声をかけたが、お篠の方は突っ慳貪な感じで、曖昧にしか返事をしなかった。

他のふたりの犠牲者に比べて、暮らしぶりが違うせいかもしれないが、朗らかさが足りないのは昔からだった。母親がいないのも、その理由のひとつかもしれないが、真実は分からなかった。

「これ、お篠……桜さんがこうして心配して下さってるのだから、お礼くらい……」

錦右衛門が窘めるように言うと、

「心配して頂いて、どうもありがとうございます」

と素っ気ない口調で頭を下げた。それに腹を立てた様子の錦右衛門だが、特に言い返すことはなく、

「小町に選ばれて浮世絵にまでなったというのに次々と……このことについて、奉行所からも見張りを出して下さってますが、なんとも物騒で。手かがりもまだないとのことですので、不安でたまりません」

と俯き加減になった。

「うちに時々、来てくれる加納の旦那と半次さんも一生懸命探索してるそうですが、未だに下手人については何も……」

桜が心配そうに言うと、お篠は厄介そうな目を向けて、

「ねえ、女将さん……私、いつも思うんですけれど、美人というのはちやほやされているように見えますが、本当は恨まれたり妬まれたりすることの方が多いですよね」

「え……？」

「女将さんも思い当たる節があるんじゃありませんか？」

「さあ、どうかしら……」

困り顔になる桜に、お篠はズケズケとした物言いで、

「そういう言い草が、男心を擽(くすぐ)るんですよねえ。だから、うちの父親も『おたふく』

に足繁く通っている。女将さんの方は、ただの金蔓くらいにしか思ってないのに、ねえ」

「これ、お篠。なんてことを」

錦右衛門は叱りつけるが、その言葉使いはやんわりしている。いかにも娘には弱い父親という態度である。

「三社祭小町なんかに選ばれなきゃよかったわ。私、男に不自由してないし」

「いい加減にしなさい、お篠ッ」

「だって、そうじゃない。小町娘に選ばれてなかったら、美雪さんもお光さんも殺されることなんてなかった」

「……」

「もしかしたら順番が入れ替わっただけかもしれない」

「——どういうこと？」

桜が訊くと、お篠は少し怒りすら含んだ言い草で、

「十日くらい前のことだったわ……お父っつぁんと一緒に、すぐそこの西福寺(さいふくじ)に法事に出向いた帰り、同じ町内の酒問屋の『越後屋』さんの裏手を通りかかったの。そしたら……」

突然、道端に積んであった酒樽(さかだる)が、並んで歩く錦右衛門とお篠の頭上へと、崩れて

きた。

一瞬、早く気づいた錦右衛門が、「危ない！」とお篠を突き飛ばしたが、自分は腰の辺りを痛打した。だが、崩れた酒樽数個は、ふたりの体すれすれに轟音を立てながら転がって、向かいの壁にぶつかって止まった。

「駆けつけてくれた酒問屋の手代さんの話では、倒れないように結んでいる縄は、毎日確かめているのですが、刃物で切られたような痕があったとかで……きっと狙われたんですよ」

お篠が半ばムキになって言うのを、錦右衛門は落ち着かせながらも、

「たしかに不自然でした……ですが、まだ誰かがやったとは決まったわけではないし、酒樽は重いから、しぜんに切れたのかもしれない。それに、お篠だけではなく、私も一緒でしたからね」

「そういうところが甘いのよ、お父っつぁんは……いつも他人事。だから、おっ母さんが病気になったときだって、仕事仕事って家を留守にして……！」

込み上げてきたように言うお篠に、錦右衛門は何も言い返さなかった。だが、お篠がキッパリと突きつけるように、

「私を殺そうとしたのよ。そうに決まってる」

と言ったとき、

「一体、どうしたの、お篠ちゃん……」

窘めるように言いながら、姉さん被りに前掛けの女が外から帰ってきた。三十路半ばであろうか、地味な着物で、いかにも働き者という感じだった。

錦右衛門が言い訳じみた態度になって、

「この方は、お篠のことを案じて来て下さったんだ。ほら、物騒なことがあったから」

と桜のことを指すと、三十半ばの女は深々と頭を下げて、

「分かっております。『おたふく』の女将さんですね。この辺りで知らない者はおりませんから。今後とも宜しくお願い致します」

と丁寧に挨拶をした。

すぐに、お篠は不快げに舌打ちをして、

「何を女房面しているのよ。一々、口を挟まないでくれる。これは私のことで、あなたには関わりありませんから」

「でも、私もとても心配で……」

「ほっといて。母親でもないくせに」

乱暴な口調になったお篠に、我慢していた錦右衛門は思わず、

「お篠。いい加減にしなさい。他人様の前でみっともない」

「すみませんね。みっともない娘で。いっそのこと、私も殺された方が宜しいのでは、おふたりにとって」

「何を言い出すのだ。おまえは、いつからそんな娘に……！」

「昔からです。ねえ、お常さん」

三十半ばの女に向かって、お篠はさらに強い口調で言った。

「いくら後妻の座を狙っても、私は絶対に認めませんから。それにねえ、お父っつぁんはあなたのような貧乏臭い女よりも、そこの桜さんみたいな品の良い美人が大好きなの。いい加減、諦めて、うちから出てってくれませんこと」

「――お篠ちゃん……」

「ああ、気持ち悪い。ちゃん付けで呼ばないでくれる。鳥肌が立つッ」

取り付く島もない感じで、お篠は奥に向かって逃げるように立ち去った。

桜は、お篠の態度や、錦右衛門、そしてお常と呼ばれた女を見ていて、色々と曰くがありそうだなと感じていた。

二

その夜――お篠はひとりで、成田不動八幡宮大護院の境内を歩いていた。蔵前からは目と鼻の先である。満月が明るくて、夜風も心地よい。仕事帰りの男なら、屋台酒でも引っかけたい気分になる宵だった。

もっとも、札差の娘が出歩くには物騒すぎる。しかも、狙われている小町娘の最後のひとりかもしれないのだ。

だが、お篠は怖がることもなく、本殿の前に立つと両手を合わせて、

「どうか、あの女が母親になるようなことは、絶対にありませんように」

パンパンと叩いた。よほど、お常のことが嫌いとみえる。

そのお篠の背後に、猫のように気配を立てずに忍び寄る人影があった。やがて、お篠が背筋を伸ばして振り返ろうとすると、

——グイッ。

といきなり、首に麻紐が巻き付けられた。

「ひ、ひいい……！」

悲鳴を上げようとしたが、一瞬にして喉元を絞められて声を出せない。それでも必死に振り返って相手の顔を見ようとしたお篠の顔は、恐怖で引き攣った。

目の前にあったのは、般若（はんにゃ）の顔だった。

「!?——ひいい」

忍びのような黒装束に頬被りをした上に、般若の面を被っている。目を丸くしたま

ま気を失ったお篠に、般若面を被った黒装束は、脇差程の長さの刀を抜き払うと、一気に背中から突こうとした。

その寸前――礫が二、三個飛来して、黒装束の頭に命中した。ほとんど同時に、大きな影が近づくと、ドンと思い切り体当たりをした。

半次だった。その後ろからは、加納が駆けつけてきている。

黒装束はよろめいて、お篠から離れると、麻紐を放し、ためらいもなく逃げ出した。その背後から、半次は鉤縄を投げた。上手い具合に黒装束の腰の辺りに絡まった。

「てめえだな！　小町殺しは！」

半次は叫んだが、黒装束は半身を捩ると同時に、刃物で鉤縄を切って逃げた。

「逃がすか、このやろう！」

叫びながら半次が追いかけると、黒装束の懐からハラリと紙が一枚、舞い落ちた。

恐らく浮世絵だろうが、半次は構わず、相手を追い続けた。だが、まるで忍びのように身軽に塀を乗り越え、路地から路地へと逃げる。

それでも半次は必死に追いかけていった。

境内には、お篠が崩れたままだったが、加納は抱き上げて、「しっかりしろ」と体を揺すった。気を失っていたお篠は、微かに目を開けて、苦しそうに咳をしながら、喉に手をあてがった。

「ゴホゴホ……」

「大丈夫か、お篠……ああ、よかった……危なかった……」

加納は背中をさすりながら、

「しかし、危ないことをするなあ……でも、案ずるな。おまえのお陰で、下手人を引き寄せることができた。後は半次次第だ……」

と優しく声をかけた。

その足下に、三社祭小町の浮世絵がひらりと舞ってきた。

一方——。

半次は、浅草寺の境内を抜けて、さらに裏から吉原の方まで、黒装束を追いかけた。

半次は四十男だが、若い頃から鍛えているせいで、足腰はまだ誰にも負けないと自負している。

月明かりにくっきりと浮かんでいる黒装束は、半次が投げた鉤縄が巻き付いたとき、怪我でもしたのであろう。徐々に足の踏ん張りが弱くなり、逃げ足も遅くなってきた。

すると、吉原大門（おおもん）までさほど遠くない所にある長屋に、黒装束は逃げ込んだ。

「あそこが塒（ねぐら）か……ふん、追い詰めたぜ」

半次は余裕のある目になって、だが容赦するものかとばかりに長屋に迫った。

六部屋ほどある、いわゆる九尺二間の長屋だが、どこにも灯りはついていない。どうやら、住人はあまりいないようだ。一番奥の部屋の扉は、わずかだが開いている。

——ここだな……。

用心しながら、半次は近づいた。相手は脇差ほどの刃物を持っている。いきなり突きかかってくるかもしれない。

半次も長めの十手を握りしめると、わずかに開いている扉の隙間に足先を差し込み、一気呵成に開いて、

「御用だ！」

と思い切り踏み込んだ。

だが、そこには誰もいなかった。わずかに月明かりが射し込んで、部屋の様子が分かるが、ただ散らかっているだけだった。

「くそう……もしかして、この長屋に逃げ込んだと見せかけて、トンズラしたか」

不安が込み上げた半次だが、六畳一間で三方が壁で囲まれている部屋に、人の気配はなかった。表に出て、長屋の周辺を隈無く探ってみたが、やはり鼠一匹いない。

「チッ——」

悔しくて十手で壁を叩くと、あまりにも激しい音がしたのか、住人が何人か、恐る恐る顔を出した。いずれも見るからに貧しそうな年寄りばかりであった。老婆がひとりに、爺さんがふたり、そして五十歳くらいの浪人者の四人だった。

「俺は岡っ引、駒形の半次ってもんだ」

と声をかけると、誰かが「ああ……」と知っているような声を漏らした。

「今し方、ここに逃げ込んだ奴がいる。身軽な黒装束で、背丈は俺くれえか。でもって、脇差を……」

言いかけて半次は浪人者に近づいて、

「旦那……脇差は持ってやすか」

「ない。浪人は切腹せぬから、金に換えた。刀は不用心だから持っているがな」

「さいですか……ここの大家は……」

半次が訊くと、みなが口を揃えるように、「いない」と答えた。数年前まではいたが、病気で死んでしまって、その後は勝手に住めと遺言があって、みんな金がないから、こうして住んでいると答えた。

「そうかい……この奥の部屋の奴は……」

「先生なら、しばらく見てねえな」

老人のひとりが答えた。

「先生……？」

「錦絵とか浮世絵を描いてる絵師ですよ」

「絵師……」

「自分ではそう名乗ってるがね、喜多川芳斉とかってね。俺たちゃ聞いたこともねえ。喜多川といや、歌麿だろ」

話を聞いて、半次はもう一度、部屋の中に入った。長屋の者に種火を借りて、行灯に灯りをつけてみると、散らかっていたのは、描きかけの絵だということが分かった。

その中には――三社祭小町の三人を描いた絵もあった。

部屋の中は、岩絵の具や紙、筆以外には何もない。ただ絵を描くためだけに借りているようだった。

「ここには、絵師ひとりが住んでいるのか」

半次が中庭に佇んでいる住人たちに尋ねたが、誰も顔はちゃんと見たことがないという。明け方はいるようだが、昼頃からぶらぶら出て行って、夜は遅くなるまで帰ってこない暮らしをしているという。

「まあ、この長屋だ……人のことなど構うのは御法度って感じでよ。でも、絵を描いているのは窓越しに見かけるし、たまには饅頭だの煎餅だのを分けてくれる。悪い奴じゃねえよ」

同じような感じのことを住人たちは話した。お互い干渉はしないようだ。

「どういうことだ……奴は絵師なのか……」

半次はさらに手がかりがないかと、部屋の中を探していると、部屋の片隅に、般若の面が落ちていた。

「これは……！」

手に取って見ると、まだ微かにぬくもりがある。

「やはり、さっきの黒装束はここに逃げ込んだが、捕まると踏んで逃げたか……しかし、どういうことだ……自分で描いた小町娘たちを殺して、浮世絵を置いていく……なんだ。どういう奴なんだ」

さしもの半次ですら、薄気味が悪くなって、この場にいるだけで背筋が凍りそうだった。とにかく、下手人の手がかりは摑めた。

「理由は分からねえが、もし三人の小町娘が狙いなら、他に手を出すことはないかもしれねえ……いや、まだ断言はできねえが、じっくり追い詰めていくしかあるめえ」

半次の顔も般若のようになっていた。

三

「般若の面に黒装束、な……」

事情を聞いた加納も、不思議そうに首を傾げるだけであった。

「その長屋の連中が怪しいんじゃないのか。もしかして、殺しの仲間で、庇っているかもしれないではないか」

「もちろん、あっしも調べてみやしたがね、そんな節はなかった。隠していることも疑って、どの部屋もぜんぶ調べたけれど、まったく痕跡もない。そもそも、江戸市中の長屋と違って、住人の繋がりは薄っぺらでね」

半次はそう答えてから、今も下っ引たちに長屋を張り込ませていると伝えた。

「それから、喜多川芳斉と名乗っているから、浮世絵を売り出した版元に、そいつがどういう奴か問い質(ただ)しやしたが……」

「が、なんだ……」

「版元は顔も住まいも知らないとかでね。絵を描くのも、てめえのは商売になるようなものじゃないからと、報酬も受け取ってないらしい。ただの手慰みだとか」

「えっ……どういうことだ」

ますます首を傾げる加納に、半次は気合いを入れるよう言った。

「お篠が言い出したこととはいえ、命がけで囮(おとり)になってくれたんだ。キチンと始末つけねえと、旦那の名折れですぜ」

「俺のせいにするのかよ……」

「一歩間違えば、お篠も犠牲になってた。いや、逃げおおせたのだから、また狙うかもしれねえ。だから、『大黒屋』の周辺にも俺の手下を見張らせてやす」

半次は取り逃がしたことが悔しくて、何度も自分の膝を叩いていた。

加納も千載一遇の機会を逸したことで、歯がみしながら、

「——殺されたのは、浮世絵になった小町娘ばかりだ。しかも、これ見よがしに殺した娘たちの帯に挟んででた。許せねえ、こんな別嬪を犠牲にしやがって」

「別嬪とか、そういう問題じゃありやせんぜ」

「でも、こんなおかしな奴なら、他にもやるかもしれないではないか。浮世絵や錦絵になった町娘や武家娘は幾らでもいる。その者たちを殺して、浮世絵を置き去りにすることを楽しんでいるのかもしれぬ」

「まあ、そうでやすね……」

「だとしたら、『おたふく』の三姉妹なんか恰好の的じゃないか。いつ狙われてもおかしくない。そうは思わないか」

興奮気味に心配する加納の言い分は分からぬではないが、半次は冷ややかに、

「まあ、あの三人ならば襲われても返り討ちに遭わせるんじゃねえですか」

「そんなことないだろ。いきなり屈強で凶悪な奴にやられたら……」

「大丈夫でやすよ」

「おい、半次……なんだ、その言い草は。おまえ、馴染みの水茶屋の娘たちが、そんな目に遭ってもいいっていうのか」

「誰もそんなこと思ってないでやすよ。あの三人なら心配ないってことで」

「どうして、そんなこと言えるんだ。仮にも二代目・喜多川歌麿の娘だぞ。此度の一件からして、浮世絵が絡んでるのだ。何かあってからでは遅いではないか……」

と言いかけて、加納は半次の顔を覗き込んで、

「おまえ……あの三人なら返り討ちに遭わせるって言ったよな」

「ええ、さいで」

「なんで、言い切れるんだ。おまえが桜さんや梅、竹の何を知ってるんだ」

「ですから、生前の歌麿さんとも付き合いがあったから、三姉妹の性分とかも、まあ知ってるんですよ」

黙って、加納は半次を睨んでいる。

「――なんでやす、旦那……」

「そうか。俺より知っているってことを、自慢したいだけか」

半次は呆れて聞いていたが、

「とにかく、今ある手がかりは吉原裏の長屋と般若の面、浮世絵、そして……『大黒屋』の娘・お篠くらいです。桜の話じゃ、お篠はお常のことを嫌っているようだし、それも気懸かりでやす」

「お常……」

「札差『大黒屋』の主人・錦右衛門の内縁の妻ってところです。成田不動で〝願掛け〟をしてたでしょうが、お常が、母親にならないようにって」

「それが関わりあるのか……」

「分かりませんがね、あっしの長年の勘てやつです」

「なんだ、分からないのなら言うな」

加納はふて腐れたように、結局、振り出しではないかと泣き出しそうだった。


翌日、札差『大黒屋』を訪ねてきた新八は、たまさか出てきたお常にぶつかりそうになった。すぐに避けたつもりだが、新八の肩がお常を押し倒してしまった。

「こりゃ、申し訳ございやせん」

新八は素早くしゃがみ込んで手を差し伸べたが、お常は下駄の鼻緒が切れたようで、立ち上がり損ねた。

「鼻緒が……相すみません。俺がすげてあげましょう」

新八はすぐに手拭いを引き裂きながら、お常の足から離れた下駄を手に取った。

「あ、手代にさせますから、どうぞ、お気遣いなく」

遠慮がちにお常は言ったが、構わず新八は裂いた手拭いを縄のようにして、器用にすげ替え始めた。お常は却って申し訳なさそうに謝って、

「本当に手代にさせますので……」

「得意なんですよ、まあ、こういう手仕事が」

「でも……あっ……」

片足で立っていたお常はよろめいて、新八の肩に摑まってしまった。

「ごめんなさい」

「どうぞ、ご遠慮なく。すぐにできますから」

「じゃ、お言葉に甘えて……」

お常はしなやかに新八に凭れ掛かるように、体を傾けた。

そのとき、店から出てきたお篠が、「ふうん」と小馬鹿にしたような顔を向ける。

艶やかな笑みすら零れているお常に向かって、

「そうやって、男をたらし込むんだね。うちのお父っつぁんにも、鼻緒をすげ替えて貰ったのが縁で、うちの店に寄りつくようになったんだわよねえ」

「お篠さん……」

「鼻の下を伸ばしたお父っつぁんもお父っつぁんだけれど……お兄さん、そんな年増に騙されちゃだめですよ。どうせ鼻緒が切れたようにしてたのでしょう。でないと、すぐに店に戻って直すはずですから」

「いえ、これは俺が勝手に……」

「あ、そう。どうぞ好きにして下さい」

フンとそっぽを向いて、お篠が表通りを歩いていこうとするのへ、

「待って、お篠さん……この前あんな目に遭ったのだから、出歩いては……」

と止めようとしたが、お篠は振り返りもせず遠ざかった。お常は追いかけようとするが、新八が割って入るように、

「ここは俺が……『おたふく』で番頭役をしている新八ってもんです」

「新八さん……」

「へえ。『大黒屋』のご主人には、よくして貰っておりやす。お篠さんのことが心配で、女将さんから頼まれまして……店の用心棒なんで、お篠さんのこともお任せ下さいまし」

「用心棒……」

「そんな柄じゃありませんが、ご安心を」

新八は遠ざかるお篠を追いかけるが、お常はその後ろ姿を、わずかだが訝しそうに眉根を寄せて見送っていた。

お篠は、新八の人柄などは知らないが、店の付けを何度か取りに来たことがあるので、『おたふく』の番頭だとは承知していた。あまり人相が良い方ではないので、お

篠は避けていた。水茶屋という場所にも、あまり良い印象はない。

「お待ち下さい、お嬢様……」

新八が追い越して、何処へ行くのかと尋ねると、

「あなたには関わりないことです」

と、お篠は突っぱねるように言った。

「では、ひとつお訊きしたいんですが、誰かに狙われる心当たりがありませんか」

「ありません」

「でも、浮世絵に描かれた小町娘が立て続けに……」

「知りません。あなたは十手持ちですか。違いますよね。水茶屋の人がどうして……もしかして、そうやって水茶屋に勧めろとでも、誘うつもりですか。まったくのお門違いです」

「そうじゃありません」

ハッキリと新八は言ってから、

「下手人が気になっているんですよ。実は俺は、二代目・喜多川歌麿の弟子だったんです。その関わりで、『おたふく』で……」

桜たちが歌麿の娘であることは、お篠も知っていることのようだ。

「此度の事件には、浮世絵が使われてましたが、あれは芳斉という一番弟子が描いた

ものなんです。あっしもよく知っている者です」

「一番弟子……それがなに」

　さほど興味なげに、お篠は訊いていた。

「あなたたち三社祭小町は、芳斉の前で描き写されてはおりませんよね」

「えっ……？」

「大体、浮世絵になる娘さんたちは、絵師の前に座って貰って、下絵を描くものなんですよ。誰かに描かれましたか？」

「いいえ、そんなことは……」

「そうですよね。あの三社祭小町の絵は、芳斉が勝手に描いたもので、『千石堂』という版元が出したものなんですよ。下手人がなぜ、亡骸に置くような真似をしたのか、俺にはサッパリ分からないんです」

「私だって分かりませんよ。何をおっしゃりたいんですか……」

　言いかけてから、ハッと硬直した顔になって身を引いた。

「ま、まさか……あなたが……般若の面を被っていた……」

「違いやす。俺は芳斉の弟弟子になりますが、芳斉も、その娘のお菊ちゃんも、もうこの世にはおりません」

「えっ……では、どうして、芳斉って人があの浮世絵を……」

不思議に思うお篠に、新八は一瞬、ためらってから言った。

「実は……俺が芳斉なんです」

「は……？」

「喜多川芳斉の名を騙って、たまにですが、浮世絵を出してました」

「どうして、そんなことを……」

「誰にも内緒にしてます。桜さんたちにも……もっとも、偽の芳斉ってことは、あの三人娘なら分かってるでしょうがね。相手にするほどでもない駄作だから、それが誰かと調べることもしないのでしょう」

どういうことですかと、お篠は気味悪げに訊き返した。

「お菊さんは生まれつき体が悪く、病弱でしたが、丁度、お篠さんくらいの頃に、亡くなってしまいました」

「……」

「芳斉さんは悲しみのどん底に沈んじまって、絵を描く気力がなくなるどころか、後追いで自害しちまって……それほど娘のことが愛おしかったんですよ」

「そんな……」

「俺には女房も娘もいないけど、気持ちは痛いほど分かる。毎日、一緒にいたような仲でしたからね……もう十年も前のことですが」

新八が図らずも涙を流したのを見て、お篠は少しばかり同情したのか、

「もしかして、新八さんは、そのお菊さんのことが好きだったのでは……きっと、そうなんですね。だから……」

と相手の気持ちを探るように言った。

「——小っ恥ずかしいが、まあ、そういうことで……だから、俺は芳斉の名で、色々と娘を浮世絵として描いてるんだが、顔はぜんぶ、お菊ちゃんになっちまう……」

図らずも新八の身の上話になったとき、お篠は娘らしい顔つきに戻って、

「私もずっと思ってたの。どうして浮世絵なんか置いとくのかって。そして、なぜ私たち小町娘を狙うのかって」

「……」

「もしかしたら、私たちに恨みがあるのではなくて、娘を失った悲しみから、同じ年頃の娘を殺したいと思った奴のせいじゃないかしら……そんな気がしてきた」

お篠が確信に満ちたような顔になると、新八は首を横に振って、

「それは違うだろう、お篠さん……親というのは子供のことが一番だ。親心が分かる奴はそんなことはしない。ましてや娘のことならね。『大黒屋』のご主人も同じ気持ちだと思いますよ」

「それは……」

答えようがなく、お篠はしばらく黙っていたが、

「実は、自分も危うく殺されそうになったときに、もしかしたら下手人は、深い恨みや悲しみがあって罪を犯すというよりも、相手をいたぶるのを楽しんでいる……そんな気がしました……」

それが正しいかどうかは分からぬが、新八とお篠は、ともに下手人探しの糸口を探そうと頷き合うのだった。

四

吉原裏の長屋を訪ねてきた半次は、下っ引たちに変わった様子はないかと尋ねた。同行している加納も、必ずここに何かあると睨んで、今一度、長屋の住人を調べていた。

だが、特に怪しいことはなかった。ただ、喜多川芳斉と名乗る者の部屋には、当人は一連の事件以来、帰ってきていないという。

「――やはり、俺が追ってきた奴が芳斉で、ここが塒だとバレたために、トンズラこきやがったのかもしれねえな」

半次が十手で自分の肩を叩きながら呟くと、耳にした加納も頷いて、

「てことは、ここには二度と戻らないかもしれねえってことか」

と中に入って、散乱した部屋を改めた。

盗人が押し入ったかのように散らかり放題の部屋である。机の上には無造作に何枚もの浮世絵が重ねられており、いずれも美人画であり、中には湯浴みをしていたり、半裸のものまである。女に執着しているような異様な感じすらあった。

「旦那……もしかしたら、覗きとか下着泥棒の類いに似た奴かもしれやせんね」

「そうだな」

「作者だから、こんな絵を沢山持っているのは不思議じゃありやせんが、どうも……」

棚を調べていた加納が、まだ描線（びょうせん）のみの絵や彩色途中の絵を見つけて、

「どれも似たような顔だが、いずれも目元涼しく品のある顔だちだ……桜さんには負けるけど、なんとも儚げな感じがいい」

「絵を褒めている場合じゃねえでしょ……」

と言いかけた半次の目が、やはり描きかけの絵に吸い寄せられた。その様子を間近で見ていて、加納は苦笑した。

「ほらな。半次だって、惚れちまうような絵だろう。正直に言え」

「——冗談はよして下せえ」

「照れるな照れるな。おまえもまだまだ男だって証だ、あはは」

加納はからかうように言ったが、半次は真剣な眼差しで描きかけの絵を見つめて、

「これは、お菊じゃねえかな……」

「えっ……?」

「芳斉の娘だよ……口元に小さな黒子（ほくろ）があるだろ」

絵を指し示すと、加納は「ああ」と頷きながら、その辺りを撫でた。

「これが、なんだ」

「よく見ると、他の絵草紙の女たちの口元にも、同じような黒子がある。表情や頬の膨らみなどは少しずつ違うが、これは同じ娘の顔かもしれねえ」

半次が意味深長なことを言うと、

「どういうことだ……お菊って言ったが、これが、その娘だというのか」

「お菊っていう芳斉の娘は、病で死んだことになってるが、実はハッキリとはしてねえんだ。見つかった所が大川端（おおかわばた）だったからな」

「えっ……⁉ なんだ、その話は」

少し不気味に感じたのか、加納は身を捩るようにして訊き返した。

「旦那がまだガキの頃のことですが、喜多川芳斉という二代目・歌麿の弟子がいて、こいつがまただらしがねえ奴で博打にはまって、けっこうな借金を作ってたんだ」

「借金……まさか親父が、借金の形に娘を女郎に売り飛ばそうとして、世を儚んだ娘が自害したとか……」

「妄想が激しいでやすね。でも、その亡骸を扱ったのは、このあっしでさ。旦那のお父上が調べてたんだが、医者の見立てで、結局、病が原因だと分かった。しかし、芳斉の方は納得できねえから、何度も自身番にキチンと調べてくれと訴えてた」

「まさか、父上が調べを間違えたとでも……」

「そうじゃありやせん。でも、芳斉は借金のことで、ならず者と揉めていたから、そいつらが殺ったに違いねえと言い張ってた」

「……」

「けど、そんな事実はなく、芳斉は自棄になって、ならず者たちと刃傷沙汰を起こし、相手に怪我をさせた上で、自分は……胸を突いて死んだんだ。瓦版は面白おかしく、後追いの自害だと描いたよ。大した絵師じゃなかったが、ちょっとした醜聞だからよ」

　半次の話を聞いていて、加納も胸が痛んできたが、

「──あれ？　芳斉ってのは死んだのか」

「へえ……」

「てことは、ここにいる奴は勝手に喜多川芳斉と名乗ってるってことか？」

「そうでやすね。だから端から、あっしは気になってたんでやす」

「だったら、先に言えよ」

加納はふて腐れたように言ったが、半次は窘めるように、

「だって、置き去りにされた浮世絵には、小町娘の名を書いてるわけではないし、昔のものかもしれねえから、キチンと調べていたんですよ。ですが、版元で調べると、新しいものでした」

「ふむ……」

「ただし、顔や住まいは分からず、送られてくる版下の絵を浮世絵にしているだけだと。しかも只だし、出来がいいから、芳斉の名で売っていたとのことでやす」

「てことは……てことは……」

一生懸命、加納は考えながら、

「ここに住んでる絵師が、芳斉の名を騙り、なんらかの思い入れから、不幸にも早死にしてしまったお菊を思うにつけ……小町娘のような幸せそうな娘が憎くなり、殺意が芽生えていった……とか」

「さあ……そこまでは分かりやせん。旦那も随分と先走りやすねえ。あっしは、分かった事実を重ねているだけですぜ」

半次が呆れ顔で言ったとき、戸口の外で物音がした。

ふたりが振り返ると——そこにいたのは、長屋の住人のひとりである浪人だった。

半次はすぐに反応して、

「旦那……仮にもお武家様が、立ち聞きとはあまり行儀が良くありやせんね」

と言うと、浪人は申し訳ないと頭を下げた。

「——俺はてっきり、本物の喜多川芳斉という絵師だと思っていたのでな。少々、ガッカリしたところだ」

「偽の絵師なんて、けっこうおりやすがね」

「だが、その絵は上手いと思っていた。俺も数枚、分けて貰ったよ。刷った奴もだが、いらなくなった原画(もとえ)とかもね……あ、俺は、元は上総佐貫(かずささぬき)藩士の岸川申之助(きしかわさるのすけ)という者だ」

「岸川様……」

半次は相手の顔をまじまじと見ながら、

「旦那は、あっしが賊を追ってきたときも、長屋におりやしたが、そいつを見かけやせんでしたか」

「いや。騒ぎで目が覚めただけだ」

「さいですか……でも、この部屋に住んでいる喜多川芳斉のことは、ご存じで？」

「ああ」

「どんな面構えで、日頃、何をしているかも」

「前にも話したが、部屋にいるときは絵を描いており、夜は仕事なのか、何処かへいなくなる……顔は親分ほどじゃないが、少しばかり強面だがいい男っぷりで、背丈は俺と同じくらい。少し痩せて見えるが、筋力はかなり強い。ああ、そこの四斗樽でも軽々と持ち上げてたからな」

「――やけに詳しいでやすね。いえ、さほど付き合いがない長屋だとばかり……」

「もちろん見かける程度のことだ。一緒に酒を飲んだりしたことすらない」

岸川と名乗った浪人は、余計なことを言ったかなと苦笑いを浮かべた。が、半次は十手を握りしめながら、

「こいつがウズウズしてるんでね。旦那の話は参考になりやした」

「なら、ありがたい」

「では、もし芳斉が部屋に帰ってきたのを見かけたら、すぐに報せておくんなせえ。般若面がここに落ちていたのも、こやつが下手人である証のひとつ……早いとこ、とっ捕まえて吐かせてやりてえ」

半次が意気込むのを見て、岸川はできる手助けはすると言った。

その夕暮れ――加納は、まだ色々と聞き込みをするという半次と別れた後、ふらふ

らと『おたふく』に立ち寄った。いつもの賑わいが戻って来ているようだった。

桜はもとより、梅と竹も綺麗に着飾って、浮世の忌々しい事件とは関わりなく、楽しそうに客の間で笑っている。

「あら、福ちゃん、いらっしゃい。今日もお疲れ様です」

気付いた桜が声をかけて、空いている座敷に通した。片隅の小さな小上がりだが、ここの方が他の客の目を気にせずに寛げる。とはいえ、八丁堀同心の恰好はしたままである。町方が出入りしていることが、〝女所帯〟には用心棒代わりになるからである。

桜が燗酒と塩辛を運んでくると、加納は溜息交じりで一口飲んだ。

「随分としんどい思いをなさってるようですねえ。まだ、お篠ちゃんたちを襲った者の目星は付かないのですか」

「付いてはいるが、追い込み損ねた半次のせいで、まだ行方が分からぬ」

「親分のせいにしちゃ、あんまりですよ」

「——こういうときにこそ、〝紅殻小僧〟におでまし願いたいねえ」

「ええ……？」

「だって、噂じゃ悪い奴をとっちめてくれるという話だ。時には、殺しの下手人や盗賊などをお縄にしやすくするよう、陰ながらお上の手伝いをしているとか」

「へえ、そうなんですか。そんな人がいるなら、福ちゃんは商売上がったりですねえ」

素知らぬ顔で、桜は加納に微笑みかけた。

「早く摑まるなら、俺の手柄なんて、どうでもいいよ」

「それは困ります。だって、お奉行様から金一封貰って、うちに来て貰わないと、こっちが干上がっちゃう」

「こんなに繁盛しているのに、よく言うよ……」

「嫌ですよう、絡み酒は」

「男は辛いんだよ。上からは叱られ、下からは突き上げられ……あ、下はいないか。そういや、新八はいないのか。この前もいなかったような。もしかして、桜さんたちに虐められて辞めたのか」

「どうして知ってるのです？」

「えっ、そうなのか」

「冗談ですよ。新八さんなら、体の具合が悪いからって、しばらく休むことに」

「それは大変だな。やはり扱き使ったせいでは……いや、頼みたいことがあってな」

「なんでしょう。私たちができることなら承りますが」

桜が身を乗り出すと、加納は少し考えて、

「──そうだな。桜さんたちも歌麿の娘だから知ってるかもな」

「何をです」

「まだ内緒だぞ。此度の小町娘の一件、あれは喜多川芳斉の仕業かもしれぬのだ」

真顔で言う加納の顔をしみじみと見て、桜は言った。

「やはりお疲れですね。芳斉さんなら、もう十年も前に……」

「知ってるよ。その偽者が殺しに関わっている節があるのだ。この絵を描いているのは、まだ誰だか分からないが、吉原裏の長屋に隠れるようにして住んでる」

と加納は長屋から持ってきた一枚の浮世絵を見せた。その絵を見た桜は、値踏みするように眺めてから、

「上手く描かれてますが、これは版元の写し技が良いからじゃありませんかね。でも、私は知りませんでした……こんなの描いている偽者がいるんだ」

「こいつが怪しいんだ。何か心当たりがあったら、教えてくれないかな」

加納は哀願するように頼んで、お菊という娘のことも伝えた。むろん、本物の芳斉やお菊のことは桜も覚えているが、そのことと此度の事件はまったく結びつかない。ただ、偽者の芳斉のことは妙に引っかかった。

五

　札差『大黒屋』の軒看板は、今日も陽射しを浴びて、周りの店のよりも、一際、大きく見えていた。

　事実、本業の扶持米（ふちまい）の扱いは大身の旗本相手が多く、金貸し業の方も両替商を凌駕（りょうが）するほど取扱量が大きかった。主人の錦右衛門は次の札差肝煎り（きもい）に推挙されているほどだ。

　今日も――新八はぶらりと来て『大黒屋』の前に立つと、店内から番頭の佐兵衛（さへえ）とお常がひとりの客を送り出してきた。

　新八は思わず身を隠すように、路地に飛び込んだ。

　見送られる客は、岸川だった。深々と番頭は頭を下げて店内に戻ったが、お常はしばらく去って行く姿を追っていた。岸川は一瞬、振り返ったが、軽く頭を下げて、そのまま立ち去った。

「随分と丁寧にお送りするのですな」

「えっ……」

　と振り返ったお常は、新八を見るや笑顔で近づいた。

「先日は、どうもありがとうございました」

「今のはたしか、岸川様ですよね」

「あ、ええ、そうです……ご存じなのですか」

「うちの店に来たことがありますので」

「そうなのですか……」

　訝しげな目になるお常に、新八は言い訳をするように、

「別に変な客じゃありません。でも、たしかご浪人さんだったから、扶持米のことではなくて、借金にでも来たのですか」

「――お客様のことは、ちょっと……」

「言えませんよね。でも、浪人を相手にするような『大黒屋』さんではないでしょうから、何か深い事情でもあるのかな、と」

「さあ、私には……ただお茶をお出しし、見送っただけですので」

「それにしては、丁寧なお見送りで」

「はい。誰に対してもそうしろと、主人に教えられてますもので……」

「ああ、そうでしょうな。札差肝煎りになるような御方ですから」

　何か曰くありげな新八の態度に、お常は少し不気味に感じたのか、

「あの……用事があるので失礼致します。この前は、ありがとうございました」

と店の中に戻ろうとした。その背に、新八が声をかけた。

「深川芸者だったんですよね」

「えっ……？」

振り向くお常の顔をまじまじと見て、

「俺も一度くらいなら、見かけたことがあるかもしれない」

「——はい。そうですよ……別に隠してませんけれど、それが何か」

お常は新八のことを、昔のことをネタにして強請るつもりと思ったのか、明らかに迷惑そうに眉間にしわを寄せた。

「機嫌を悪くしたのなら謝ります。そこそこ売れっ子だった芸者さんだから、錦右衛門さんもぞっこんなんでしょうが、岸川様とはどうも不釣り合いだ」

「えっ……何を言っているのでしょう」

「へへ。あっしもこういう商売をしてますのでね。分かるんですよ、男と女のことくらいは、交わす目と目を見りゃ」

「まさか、私と今のお客様に何か関わりがあるとでも？　お篠さんもそうですが、深川芸者だったというだけで色眼鏡で見ます。慣れっこになっていますが、ここは店の前ですし、ご勘弁下さい」

この前とは違い、ハッキリとした口調で言うと、お常はそのまま店の中に入ってい

ったが、しつこく新八も追いかけて、

「知らない人ならば、教えておきます」

と言った。

「えっ……何をです」

「今の岸川という浪人者のことですよ。奴は散々、あちこちで借金をしては踏み倒してきた奴なんですよ。こんな立派な札差が金を貸したとあっちゃ、後々、迷惑を被ると思いましてね」

新八が大きな声で言うと、番頭の佐兵衛が戻ってきて、

「どうしたというのです、新八さん……」

「女将さんになるお人ですよね、お常さんは……だったら、昔、何があったか知りゃせんが、あんな男とはキッパリ縁を切っていた方がいい。あっしは、そう思います」

「なんです。岸川様がどうかしましたか……」

岸川のことを悪し様に言う新八に、佐兵衛の方がキチンと答えた。

「それならば、ご安心下さいまし。あの御方は、この度、普請奉行の大河原内膳様に、ご奉公が決まっているのです。もう浪人ではありませんので、私どももお付き合いを」

「あ、そうでしたか……これは相すみません。とんだ余計なことを……」

新八は気まずそうに頭を下げると、逃げるように店から飛び出していった。

その足で、来たのは——吉原裏にある例の長屋だった。

木戸口を潜るなり、小さな祠の横にある部屋の扉をガラッと開いた。そこは岸川の部屋で、寝そべって小判を眺めていた。

「なんだ、いきなり……」

岸川は跳ね起きて、床に置かれていた小判を掻き集めた。

「大河原様のご家来になったのは本当ですかい」

「なに……？」

「普請奉行の大河原内膳様に仕官したと、『大黒屋』で聞きました。だから、そんな大金を貸してくれたのですか」

「——おまえになんの関わりがある」

「お常さんは、旦那とどういう繋がりがあるんです？」

「誰だって？」

「あなたをずっと見送っていた、『大黒屋』の後添えになる元深川芸者ですよ。実はちょいと調べてたんですがね、大河原内膳様もお常さんの馴染み客だったとかで、『大黒屋』の後添えになる後見人だとか」

「……なんの話をしてるのだ」

岸川は苛ついた目で新八を見ながら、金を片付けて、

「人のことを嗅ぎ廻って……おまえこそ、何か疚しいことでもしているのではないのか。おまえのことを、町方が調べてるぞ」

「そう仕向けたのは、あなたではないのですか」

「……」

「俺のことを見くびらない方がいいと思いやすぜ」

まるで脅すように新八が言ったとき、半次が飛び込んできた。表には下っ引数人が立っている。十手を突きつけたが、

「あれ……新八じゃねえか」

と半次が十手を下ろすと、岸川が声を荒らげた。

「おい、岡っ引。姿を消していた喜多川芳斉とは、こいつだよッ」

「なんだと？」

「嘘だと思うなら、長屋のみんなに訊いてみるがいい。この長屋の奥で、絵筆を走らせているのは、こいつだって誰もが話してくれるだろう」

「――どういうことだ、新八……」

半次は疑念を抱きつつも、信じられないという表情になった。

「本当に、おまえが喜多川芳斉なのか」

「ああ、そうだよ。そこの部屋は、もう随分前から俺が借りてる」

新八が素直に答えると、半次は十手を突きつけて、

「では、おまえが小町娘を殺したのか」

「違う。俺じゃない。亡骸の所に残された浮世絵は、俺が描いたものだがな」

「だったら、どうして訴え出てきて申し開きをしなかったんだ。隠れ廻った挙げ句、言い訳しても誰も信じないぜ」

半次はどうしても新八をしょっ引いて、自身番で白状させるつもりである。

「おまえだって仮にも二代目・歌麿の弟子だったんだろ。訳はどうであれ、勝手に喜多川芳斉を名乗ったり、浮世絵を弄んで恥ずかしくねえのか、ええ！」

「うるせえ。親分にはそれこそ関わりねえ」

「あるんだ。芳斉は大暴れして自分で死んだが、お菊は殺されたかもしれねえんだ」

「知ってるよ。だから、俺はずっと下手人を探してたんだ。それが、此度のことで、ようやく見つけたんだよッ」

新八はそう怒鳴りながら、キッと岸川を振り返った。

「──私がなんだというのだ。普請奉行・大河原様の家臣だぞ」

威嚇する岸川を横目に見ながら、半次はいきなり新八に摑みかかり、縄を打った。

同時に下っ引が踏み込んできて、暴れようとする新八を組み伏した。

「は、放しやがれ、このやろう！　俺が何をやったってンだ！」

「大人しくしやがれッ。てめえは前々から虫が好かねえ。観念しやがれ！」

新八の背中に膝を落とした半次は、乱暴に腕を捻り上げて、下っ引たちが総掛かりで連れ去っていった。

険しい顔で見送っていた岸川は、

「偽絵師なんだから、どうせろくな奴ではないのであろう。素性が分かったら、俺にも教えてくれ」

「へえ。承知致しやした……これで小町娘はもう狙われずに済むってもんでやす」

半次は低姿勢で答えると、新八の部屋に立ち寄って、また何かを調べ始めた。その様子を見ていた岸川は、短い溜息をついて部屋に戻ると、ゴロリと寝そべった。

「あっ、痛いッ」

思わず起き上がると、丁度、背中の辺りに、尖った砂利が幾つか落ちていた。

「なんだ、こんな所に……！」

岸川は苛立ったように、砂利を土間に投げ捨てて、

「もはや、ここに長居は無用だな」

と懐の小判を握って呟いた。

六

夜遅く――札差『大黒屋』の帳場では、蠟燭の灯りの下で、錦右衛門と佐兵衛が帳簿合わせをしていた。佐兵衛が弾く算盤の音が、深閑とした店内に響いている。

「ねえ、おまえさん……毎晩、根詰めていると体に障りますよ。佐兵衛さんも……」

奥から出てきたお常が、ふたりに声をかけた。「おまえさん」という言い草は、すっかり女房のようだった。

そのせいか、佐兵衛も思わず、

「女将さんこそ、疲れているのではありませんか……ずっと気の休まる日がなかったでしょうから」

と当然のように「女将さん」と言って返事をした。

お常は、錦右衛門の背中に廻って肩を揉みほぐしながら労るように、

「おまえさんこそ、ご心痛でしょう……早く恐ろしい下手人が捕まってくれるといいのですけれど……町方からはまだ何も……？」

「一応、加納様が来て、それらしき者を捕らえたとは聞いたが、何処の誰かは……」

錦右衛門は首を横に振ったが、

「しかし、世間の噂では、小町娘を憎んでいる人間……恐らく喜多川芳斉という者がやったのではないかと、な」

「でも、偽者だと聞きましたが……」

「らしいな……だが、もしそうだとしても、捕まったのなら、一安心てところだが」と錦右衛門がぼやくように言ったとき、手代が「旦那様ッ。大変です！」と慌ただしい足音とともに飛び込んできた。

「どうした。何があったのです」

「お篠……お篠様が……！」

慌てて立ち上がった錦右衛門は、奥の廊下へ向かい、さらに二階に駆け上がり、お篠の部屋に飛び込んだ。室内には誰もいなかったが、障子窓が開いており、夜風が吹き込んでいる。

だが、薄暗い足下の布団の上には、鮮血が叩きつけられたような痕があった。そして、布団の片隅には、浮世絵が残されている。

「な、なんだ――!?」

悲鳴になりそうな声で、錦右衛門は開いたままの障子窓から外を見た。眼下は路地になっているが、塀によじ登るには厄介な作りになっている。しかも此度の事件を警戒して、有刺鉄線のような棘針（きょくしん）を張っていたのだ。

「水を頼まれていたので、持ってきたのですが……そのわずかな間に」

手代は申し訳なさそうに座り込んだが、錦右衛門は気丈に、

「探せ、みんな起きろ！　お篠を探せえ！　佐兵衛、おまえは自身番に報せにいってくれえ！　お篠……ああ、お篠……！」

と大声で叫び続けた。

傍らに来たお常も驚愕の顔で座り込み、

「おまえさん……大丈夫ですよ……きっと戻ってきますよ……ええ、きっとね……」

と泣き声になり、うっぷしてしまった。

その夜、加納は元より、半次と下っ引たちも『大黒屋』に詰めかけて、賊が何処から進入して殺害に及んだのか、亡骸が見当たらないが、もし連れ去ったとしたら、何故なのかなどと言いながら、懸命に探索をしていた。

翌朝——裏木戸から出てきたお常は、路地を抜けて表通りに出ると、急ぎ足になって柳橋の方へ向かった。

時々、後ろを振り返りながら、駆け込むように入ったのは、柳橋の船宿だった。

顔馴染みなのか、番頭が目顔で挨拶をすると、「もう来てますよ」とでも言うように二階を指した。わずかに乱れた髪を整えると、女らしい笑みを薄らと浮かべ、逢い

引きを楽しむかのように階段を登った。

そこには、岸川がいて、朝っぱらから手酌で酒を飲んでいた。

「ああ、会いたかったあ……」

恥じらいもなく、芝居がかって岸川に抱きついたお常は、甘える仕草で、

「驚いたわ……あまりにも鮮やかなお手並みだわね。お篠を引きずったような血塗(まみ)れの布団に、あの浮世絵……私も思わず、本当に泣いちまったわよ」

「なに……」

岸川は杯を片手に黙って聞いていたが、お常は嬉しくて歌うように、

「お見事、お見事。馬鹿な同心たちも、死体が消えたって、てんやわんやだわよ。後は、喜多川芳斉を首吊り自害にして、小町娘たちを殺したって遺書を置いておく……私たちの思いどおりになりそうね」

と笑いかけた。

「――何を言う……まだ終わってはおらぬ」

「惚けちゃって、まあ。あなたの悪い癖よ。褒められたら、素直に喜びなさいよ。それより、お篠は何処に隠したの？」

「お篠がどうかしたのか」

「もうふざけないでよ。いっそのこと、布団に置き去りにした方がよかったんじゃな

い。それとも隠したのは、御前の指図なの？」

「声が大きい……」

岸川は窘めてから、お常を突き放して両肩を持ち、

「俺はまだ何もやってはいない。喜多川芳斉はお縄になったが、奉行所の犬どもがまだ嗅ぎ廻ってる気がしてな。だから、俺は二度とあの長屋には戻らない。しばらく、ここに潜んで江戸から離れる」

「江戸から離れるって……じゃ、私はどうなるのさ」

「おまえは、このまま『大黒屋』の女房に収まり、頃合いを見計らって主人を殺す……そしたら後は、おまえの勝手となる」

「……本当に、あんたはやってないのかい、お篠を」

俄に不安になったお常の表情を、岸川はまじまじと見ていたが、

「お常……まさか、俺を嵌めるつもりじゃないだろうな」

「何を言うのさ。一緒に『大黒屋』の身代を狙うって決めた仲じゃないさ。お篠さえ死ねば、錦右衛門はどうにでもできる……そしたら、あんたとは晴れて夫婦……大河原様の家臣なんかにならなくたって、一生、楽して暮らせるよ」

お常は甘えた声でしなだれかかるが、岸川の不安は高まり、

「今度は、本当に俺がやったのではない……第一、遺体を隠すだなんて、おかしいじ

ゃないか……お常、おまえも誰かに上手い具合に騙されたんじゃないのか……」

「——まさか……」

急に、お常も悪い予感がしてきて、

「おまえさん……ここで待っておくれ……私、調べてみたいことがある」

と言い捨てて、船宿から飛び出していった。

その足でやってきたのは、浅草御門外すぐの所にある、大河原内膳の屋敷だった。

「お邪魔します。『大黒屋』の者でございます。御前様にちょっとお尋ねしたいことがありまして参りました」

門番の男も、お常の顔は知っていたので、すぐに中に通した。

母屋の自室にいた大河原内膳は、腹の突き出た恰幅の良い体ごと険しい顔を向け、

「なんだ、唐突に……」

「まだ、お耳に入ってませんでしたか。実は、お篠が……」

昨夜、『大黒屋』であったことを述べると、大河原も驚いたが、お常はキチンと事実を確かめるように、

「私が帳場に旦那の様子を見に行ったときに、起こったのです……私は何もしてませんよ。そして岸川も手を出してないとなると、もしかして御前様の手の者……」

「知らぬ。儂は自分の手は汚さぬ。家臣にも下手なことはさせぬ。この身に飛び火し

ては困るのでな」

「――ですよね……用心深い御前様のことですものね。では一体、誰が……」

お常が訝しむ顔を見るや、大河原の方が疑心暗鬼な表情になって、

「お常……人殺し浪人の岸川に乗り換えたのではあるまいな」

「なんということを……すべて御前様のために私は……」

「岸川を拾ってやったのは儂だ。あやつは佐賀藩の江戸詰め藩士だったが、その昔、藩の金を横領して追い出され、金貸しや賭場の用心棒をしていたのは承知しておるよな」

「え、ええ……深川の岡場所辺りでもクダを巻いていましたから」

「その頃、借金のことで喜多川芳斉なる絵師と揉めて、借金の形に娘を差し出せと言い出した挙げ句、殺した」

「……」

「いや、本人曰く、連れていこうとしたら、具合が悪くなって死んだから捨て置いていったとのことだが、いずれにせよ人を殺したも同然。他にも疚しいことは数えきれぬほどやっているはずだ……そんな男の何処に、おまえは惚れたのだ」

大河原は、芸者だった頃のお常には随分と注ぎ込んだことを〝恨み節〟のように言って、険悪な顔になった。

「お篠殺しで失敗しなければ、もうとっくに片が付いていた話だ……なぜ、お篠ひとりを襲う算段に変えたのだ」

「いえ、それは……」

「儂は言ったはずだ。小町殺しと見せかけておいて、お篠だけは錦右衛門と一緒に殺せと……娘を庇おうとして死んだ。それでよかったのだ。にも拘わらず、お篠だけを狙ったのは、おまえたちの失敗だ。なんのために、おまえは『大黒屋』を誑かしていたのだ」

物凄い形相になる大河原に、お常は身震いしながらも、

「御前様……まさか、私を捨てる気ではありませんよね」

「何を言う。おまえこそ、岸川に何か入れ知恵をされたのではあるまいな」

「私は身も心も、御前様に捧げました。御前様と一緒に幸せになるためには、どうしてもお金がいると仰るので、言われるがままに……錦右衛門をたらしこみ、岸川を使って殺しまでしたのですよ」

お常は縋りつき、燃え尽きるような目になって、

「そんな私を、お疑いなのですか……」

と一年程前に、寝物語に大河原が語ったことを伝えた。

普請奉行如きでは大した力はない。自分は勘定奉行になって、幕閣をも動かす人物

になる。そのためには、莫大な金がいる。出世のためには、老中や若年寄などに渡す裏金が、どうしても必要なのだ。

「あなたは腐るほどの金が欲しいと仰いました。だから、私を座敷によく呼んでくれる錦右衛門に近づいて……すべて、御前様のためでございます」

泣きの涙で訴えるお常に、大河原の表情も少し柔らかくなって、

「分かっておる……分かっておる。だが、肝心の錦右衛門がまだ生きているとなれば、次なる手立てが必要だ」

「はい。もう考えております。お篠がいなくなったのは、これ幸い。小町娘の三人目として殺されたことは間違いないと思い、錦右衛門は頭がおかしくなったことにして、それこそ自刃でもさせます。血濡れた娘の部屋で」

「ふむ……それをやり遂げたとして、岸川はどうする。すべてを知っているのだぞ」

「それなら……」

お常はニンマリとほくそ笑んで、

「岸川は身の危険を感じたのか、江戸を離れると言ってました。ならば、そうして貰いましょう。そして旅先で、やくざ者と喧嘩でもして殺される……その筋書きで如何ですか。金さえ払えば、人手は集まりましょう」

「むふふ。おまえも相当な悪女よのう」

「幼い頃は、人に言えぬほどの貧しくて辛い暮らしぶりでした。でも、虫けらでも見るように、誰も助けてくれませんでしたから、世間を恨んでるんですよ」

愁いを帯びた目になったお常を、愛おしそうに大河原が抱き寄せたとき——庭の方で物音がした。

大河原が障子戸を開けると、そこには憤怒の形相で、岸川が立っていた。

凝然と見やるお常に対して、大河原は強い口調で、

「貴様か。何処から入ってきたッ」

と怒鳴りつけたが、岸川はすぐに刀を抜き払った。

「ちくしょう！　やはり、こういうことだったか！　ふたりとも、俺のことを散々、利用しておいて！」

目をギラつかせて、岸川はふたりに向かって突進してきた。とっさに、お常は大河原の後ろに隠れて叫ぶ。

「殺して！　そんな奴、どうせ小汚い浪人じゃない！　殺してえ！」

その声を聞いてか、家臣たちがドッと数人現れて、一斉に斬り掛かった。岸川は大暴れして刀を振り廻すが、勢いがあるだけで空を切るばかりだった。その姿勢が崩れたとき、家臣たちが躍り掛かり、撫で斬りにしようとした——が、何処かから白い物が飛んで来て、床に落ちた。

それは、般若の面だった。

「⁉……なんだ」

一瞬、家臣たちの動きが止まったとき、般若の面がパカッと割れ、モワモワと白煙が室内に広がり、目の前が見えなくなった。大河原も家臣たちも噎せて、激しく咳き込んでいる間に、煙は薄くなった。

だが、そこに岸川の姿はなかった。

「逃げた……何者だ。探せ……ゴホゴホ、探して殺せぇ！」

大河原は咳き込みながらも大声で、家臣たちに命じた。

その足下に、ふわふわと浮世絵が舞い落ちてきた。そこには、美しい三人の小町娘らしき姿が並んであり、

――紅殻小僧、推参。

という赤い文字が重なっていた。

「なんだ、これは……ふざけおって……おのれぇッ」

大河原が激高する隣で、お常はブルブルと震えているだけだった。

七

　その日のうちに、大河原は評定所から呼び出された。使いの者からは『三社祭小町娘殺害の件につき問い質したいことがある』と伝えられた。

　表門に駕籠を用意させて出向こうとしたとき、その前に裃姿の侍が立った。

「お待ち下され、大河原殿」

　見覚えのある顔に、大河原はアッと目を見開いた。

「これは遠山殿……ご貴殿が直々に如何なされた……もしや、評定の迎えにでも」

　大河原は格上の旗本である遠山に、恐縮したように腰を屈(かが)めた。

「大きな声では話はできぬので、宜しいかな……」

　遠山が神妙な顔で見やると、大河原は邸内に招き入れた。北町奉行の遠山左衛門尉が、評定所の議長役の月番であることを、承知していたからだ。

「拙者も子細はまだ承知しておらぬが、岸川申之助というそこもとの家臣が、すべてを白状しておる。すべて、おぬしの命令でやったことだと、な」

「いや、それがしは何も……しかも、岸川なる浪人者は、まだ正式な家臣では……」

「さようなことを言うておる段ではない」

厳しい声になって、遠山は続けた。

「本来なら、評定は事前に何度も調べた上で開くもの。しかも、通常は朝に開くものを、午(ひる)過ぎからとは異例中の異例。つまり、それほど火急を要しているということだ。おぬしも奉行職にある身分ゆえ、分かるであろう」

「……はあ」

「私が評定に先駆けてきたのは他でもない」

真剣な眼差しの遠山は、わずかだが声を低めて、

「今日は五手掛かりで、町奉行、寺社奉行、勘定奉行、大目付、目付の他、老中がご臨席なさる。老中・若年寄は評定に直接、口は挟まぬが、後刻検討の上、最後は上様の判断になるため、幕閣の意見がご判断に影響することは間違いない」

「しょ、承知しております……」

「ならば、ハッキリと言おう。今日、臨席する老中首座・水野忠邦(みずのただくに)様に対して、賄賂を持参せよ。千両でよい」

「えっ……⁉」

「よいな。さすれば、評定も含め、すべて水野様が取り計らってくれる。奉行職にあるものが、つまらぬ事件に巻き込まれては幕政にも影響するから、とな」

「……」

「しかも、おぬしが手に掛けたわけではあるまい。岸川なる浪人、お常がつるんでやったこととして片を付ける。尚、喜多川芳斉を名乗る絵師は、事件とは関わりなく、同じ長屋の住人だった岸川が、芳斉を下手人に仕立てるために、そやつの浮世絵を使ったとのことだ」

「そ、そうだったのですか……」

「おぬしには関わりのないこと……で、宜しいな。ついては、評定所の控え室にて待っている水野様のもとに、千両を直ちに届けて下され。しかと頼みましたぞ」

遠山が駄目押しでもするように命じると、大河原は両肩を落として頷くしかなかった。

その半刻後――。

辰ノ口評定所に現れた大河原の姿に精彩はなく、評定所の広間の裏手にある控え室で待っていた水野忠邦は、珍しく苛ついた顔だった。

横には、遠山が座っているが、大目付や目付ら他の評定所の面々は、下役らとともに詮議所にて準備を整えていた。

「――水野様……大河原内膳でございます。此度は格別なご配慮、感謝致します」

行李に入れた千両箱を、下役人が運んできて、水野の前に置いた。

「何卒、宜しくお願い致します」

「なんだ、これは……」

大河原は自ら、行李の蓋を開けて中身を見せた。そこには千両箱がある。さらに蓋を開けると、中には黄金色の小判がギッシリと詰まっていた。

「仰せのとおり、千両ございます」

平伏して言う大河原に、水野は奇異な目を向けて、

「これはなんの真似だ」

「は……？」

キョトンとなって顔を上げた大河原は、遠山をチラッと見てから、

「水野様が持参せよとのこと、遠山様から伝言を受けまして、直ちに用意致しました。何か不都合でも……」

「どういう意味だと訊いておる」

「ですから……今日の評定では不問に付して下さると……」

大河原が素直に答えると、水野は遠山を振り向いて、

「――遠山……またぞろ何か仕組んだのか。私が賄賂を欲しがっているとでも、こやつめに吹き込んだのか」

と不愉快極まりない声で言った。

どういうことだと、大河原は俄に不安が込み上げてきて、ふたりの顔を見比べてい

た。遠山と水野はさほど仲が良くないとの噂は、幕府内では知られていることだ。かといって、遠山が敢えて貶めるようなことはするまい。大河原は押し黙って様子を窺っていた。

「申し上げます、水野様……」

遠山は膝をわずかに動かして、水野に向き直った。

「三社祭小町娘の殺害については、これまでも北町で探索し、水野様にもその都度、お耳に入れておりました」

「うむ……」

「殺しの実行をしたのは、岸川申之助なる浪人者で、此度、大河原殿の家臣となったとのことです。つまり、大河原殿の家中の者が手を下したことになります」

大河原は何か言い返そうとしたが、水野に睨まれ、黙って遠山の話を聞いていた。

「岸川は私の調べに素直に答えましたが……小伝馬町の牢屋敷内にて、役人の目を盗んで切腹して果てました。己がやったことを悔やんだのか、仮にも主君に迷惑をかけたことを詫びたのかは分かりませぬが、証人がいなくなったわけです」

「で……？」

「一方、岸川と男女の仲にあったお常は……いや、そこな大河原殿とも夫婦の契りを交わしていたそうですが、札差『大黒屋』の主人・錦右衛門を誑かして、後添えになるつもりでした」

そこまで話すと、水野がジロリと大河原を睨みつけて、

「まことか、大河原……」

と訊いた。大河原は何も答えず黙っていた。

「その『大黒屋』の娘が、お篠で、三番目に狙われた小町娘です……」

遠山は大河原を横目で見ながら、淡々と続けた。

「お常は大河原殿の屋敷を出てから、何食わぬ顔で『大黒屋』に帰りましたが、そこには……殺されたか、あるいは連れ去られたはずのお篠がおりました」

「なんと……！」

水野の目が煌(きら)めいたが、この言葉には大河原も驚いた。

「――どうやら、お篠という娘は頭が切れる上に、何事にも恐れることなく動く気質のようで、鳥か何かの血を布団に垂らして、殺されたふりをして、姿を消しておりました。隠れ潜んでいたのは……『おたふく』という水茶屋だそうです」

「水茶屋……」

「ええ。『大黒屋』錦右衛門が通い詰めている……というより、信頼している女将がやっている店だとか」

「……」

「お篠の姿を見たお常は、幽霊でも見たかのように驚いたらしいですが……お篠は、お常が大河原様のお屋敷に出向いていたときの様子も、一部始終、承知しておりました。すべて見聞きしていたかのように詳しく、お常と大河原様の話を、北町同心の加納に伝えました」

遠山はいよいよ佳境に入ったとばかりに、大河原を見据えて、

「なあ、大河原……」

と呼び捨てにして、少し伝法な口調になって問い詰めた。

「すべて、おまえが、お常と岸川に命じたことだよな。『大黒屋』の金欲しさに。どうせ、この千両も、『大黒屋』から借りていたものだろう、違うか」

「……な、何を言い出すのです」

大河原は消え入るような声を洩らしたが、遠山は朗々と続けた。

「安心しな。肝心のお常の方は今、北町奉行所内の牢部屋にいるが、何ひとつ、おまえのことを語ってはおらぬ……岸川のことはバラしたが、おまえのことは知らぬ存ぜぬだ」

「！……」

「だから、水野様にお出まし願い、おまえには賄賂を届けるよう罠（わな）を掛けたのだ」

遠山は大河原を凝視して、

「だが、おまえは断るどころか、このとおり千両を用立てた。まったく身に覚えのないことなら、こんな真似はするまい。自分で襤褸を出したってことだ」

「——ふ、ふざけるなッ……こんなことが、評定所で罷り通るのか。私は何も知らない。ああ、知らない。遠山が持ってこいと言うから、従ったまでだ」

「……」

「私が関わっている証拠があるなら、出してみろ。そもそも私は、お常なんて女も知らないし、そんなはしたない女とつるんでいる岸川なる浪人者も知らぬ。だからこそ、奴らは何も語らぬのだ。私とは関わりない」

大河原は次第に興奮の度合いが増してきて、

「そもそも三社祭の小町娘といっても、どうせ殺されるような好色女の類いだろう。どのみち私には関わりないッ。この金が不要ならば持って帰る。いいですなッ」

と乱暴な口調で言った。

水野は静かに見ていたが、短い溜息をついて、

「——そういうことだ、遠山。私を利用したつもりだろうが、役に立てなかったな」

と立ち上がって去ろうとした。

「もし今月の月番が、南町の鳥居耀蔵殿ならば揉み消せましたかな……大河原様を普請奉行に任命した水野様には、ご臨席賜りたく存じます。その上で、評定を続けとう

存じます。今日は私の仕切りですので」

遠山も立ち上がり、サッと襖を開けると、大目付や目付、勘定奉行、寺社奉行をはじめ、留役勘定組頭、留役勘定、書物方、評定所同心らが打ち揃って居並んでいた。

その様相を見て、大河原はさすがに尻込みしたが、水野は仕方がなく役人に招かれるままに、一同が見渡せる離れた座敷に座った。

評定衆の先にには縁台があって、さらに先の庭には——岸川とお常の姿があった。

「あっ……！」

思わず大河原は声を上げた。

「如何致しましたかな。知らぬ者たちではないのですか」

遠山が振り返ると、みるみるうちに大河原は体を震わせて、

「貴様……たばかったな……これが遠山のやり口か！　すべて芝居だったのか！」

「なんのことですかな。ささ、裁かれる側の席はそちらでござる」

微笑を浮かべて、遠山が下座の方を指すと、大河原は役人に付き添われて座った。

「これより、三社祭小町娘殺害につき、普請奉行・大河原内膳を詮議致す」

遠山の掛け声によって、評定衆一座の面々に緊張が走った。

「此度の一件は、小町娘を次々と殺すことで、本当の狙いが『大黒屋』だということを隠すという悪辣な凶行であること、篤と明らかにしとうござる」

真剣な眼差しになった大目付や目付らも威儀を正して、推移を見守っていた。

その翌日には――。

すべてが解決し、大河原は御家取り潰しとなった。切腹は免れたが、私財没収の上、家中の者は離散となった。

岸川はふたりも手に掛けたことと、十年前のお菊の件も加重され、やはり死罪となり、お常も同罪として、ふたりの首は鈴ケ森(すずがもり)の刑場にて晒(さら)された。

「哀れなものだわよねえ……お常って女は、芸者としてそこそこ売れっ子だったのに、悪い男に酷い目に遭ったってことかしら」

竹が同情するかのように言うと、梅は大笑いして、

「馬鹿言ってるんじゃないよ。金に目が眩(くら)んだだけでしょ。人殺しなんて割の合わないことはしちゃダメってこと……それに、誑かしていたのは、お常じゃない？」

と断じた。

大河原の屋敷で、般若の面を落として白煙を焚(た)き、岸川を連れ出した上で、自分たち三姉妹を描いた浮世絵を残したのは、梅である。

もっとも、お篠が殺されたように見せかけることで、お常がすぐに仲間と会うだろうと仕組んだのは、桜の考えだった。それとて、お篠から桜が相談されたからだ。

――お常が怪しい。うちのお父っつぁんも殺されるかもしれない。

と察知したのは、お篠自身だった。一緒に暮らしていると、なんとなく得体の知れない悪女だと分かったというのだ。

だから、錦右衛門にも内緒で仕掛けたことだった。後で真相を知って、

「こんな真似はやめとくれ、お篠。本当に私の心臓は止まりそうになったんだからね」

と錦右衛門は大泣きだったという。

ぼんやりと『おたふく』の提灯がついたとき、ぶらりと加納と半次が入ってきた。

「いらっしゃい……」

と言いかけた桜たちが声を止めた。

ふたりと一緒に、お篠がいるではないか。しかも、まさに水茶屋の女のように、綺麗に着飾っている。

「どうしたの、お篠ちゃん。まあ、事件は片付いたから安心だけど……こんな夜更けに小娘が出歩いたら危ないわ」

「小娘って言わないで下さい。私、今日からこのお店に雇って貰いたいんです」

「えっ……それは駄目ですよ」

桜はすぐに断ったが、お篠は頑として動かない。

「だって、喜多川芳斉って新八さんでしょ。だったら私のことも、ちゃんと浮世絵に

描き残して貰いたいし、こういう所で働きたかったんです。お父っつぁんも『おたふく』ならいいって言ってくれてます」

「まさか……」

「本当です。そしたら、毎日、通うって。もちろん、目当ては桜さんですけどね。うふふ。宜しくお願い致します」

ちょこんと頭を下げるお篠に悪気はなさそうだが、

「なんで、連れてくるのよ、まったく」

と梅は加納の背中をバシッと叩くのだった。

飛び上がるほど痛がる加納を、半次はからかいながら、

「今回は金一封がなかったけれど、浮世絵を悪事に使われたことを二代目・歌麿さんに詫びながら、一献傾けたいと思いやしてね。それに、芳斉とお菊さんの供養も……」

と神妙な顔になった。

三姉妹は、お篠には困ったように顔を見合わせたが、そのうち飽きるだろうと今宵は一緒に楽しむことにした。

浅草雷門（かみなりもん）の上には、月が笑っているように浮かんでいた。

第三話　福助の恋

一

今宵も紅殻小僧が出たとの噂が流れ、加納と半次が走り廻っていた。他に下っ引や手伝いの町火消しなども一緒だった。

黒装束ではなく、紅色の装束を纏って現れることがある――というのが、紅殻小僧と呼ばれる理由だったが、彼らは皆、紅殻小僧の正体をつかめずにいる。

もっともただの盗賊ではなく、悪いことをした商人の裏帳簿とか、町方同心では探索しにくい武家屋敷に潜り込んで悪事の証拠を持ち出すという噂が多かった。時に強欲な奴から盗んだ金を庶民にばらまくこともあったから、義賊扱いされていた。

とはいえ、盗みが正しいわけではなく、下手をすれば〝冤罪〟を生み出しかねない。ゆえに、町方与力や同心からすれば、咎人と同じ扱いであった。

此度は、予てより〝盗人宿〟だと疑われていた『辰巳屋』という神田佐久間町にある旅籠の主人が、紅殻小僧に吊し上げられたのである。〝盗人宿〟とは、江戸市中で盗賊を働いた者が、お上から逃げるために一時、隠れている宿のことである。

店の主人は盗賊一味ではないが、金を目当てに、逃亡の協力をしていたのだ。報酬はどうせ盗んだ金からだから、主人も同罪である。

しかし、店の主人や奉公人が、盗賊の素性を知っているわけではないから、

「いや、誰か分からなかった。ただ客として泊めていただけです」

と言われれば、町方同心としても手の打ちようがなかった。『辰巳屋』は関八州から来る行商や普請場に出稼ぎに来る者たちも宿泊していたので、探索に踏み込みようがなかったのである。

ところが、文兵衛という主人が、何者かに攫われて、火の見櫓から逆さ吊りにされた。地面に落ちれば、ひとたまりもない。

その火の見櫓からは、紅殻小僧らしき者がハラハラと何十枚もの紙をばら撒いた。

そこには瓦版のように、

——私は盗賊の〝鬼灯の幻蔵〟を匿い逃がしました。そのために死んだ人もいます。どうぞ処刑して下さい。

と書かれていた。これが、紅殻小僧の仕業だというのだ。

それで大騒ぎになったのが十日程前のことで、文兵衛が事実を認めたために、旅籠は闕所になった上、主人は遠島となった。

だが、〝鬼灯の幻蔵〟という盗賊一味は、まだ江戸市中に潜伏しており、それどころか盗みを繰り返しているとのことだった。だから加納たちは、紅殻小僧のことも相まって、夜通しの見廻りを増やし、血眼で探していたのである。

「いいか。怪しい奴がいたら遠慮はいらぬ。すぐにとっ捕まえるのだ」

緊張した顔で岡っ引らを鼓舞する加納だが、ずんぐりむっくりで頭でっかちだからか、なんとなく拍子抜けした。福助人形のような姿ゆえ、気合いを入れた言葉を吐いても、言われた方は笑いが零れてしまうのだった。

「なにをニヤけてるのだ。〝鬼灯の幻蔵〟は人殺しも厭わぬ輩だ。よいか、気合いを入れて取りかかれ」

ヘイ！　と若い下っ引たちは威勢良く返事はするものの、やはり苦笑を浮かべる。

「おい……！」

加納が文句を言おうとしたとき、ふとすぐ近くの橋に目がいった。欄干柱には、『吾妻橋』の文字が月明かりに浮かぶ。

一瞬、佇む加納の目から、それまでの緊張が解けて、物寂しげになった。その様子に気付いた半次は、

「どうしたんでやす、旦那……急にぼんやりして……まさか、桜さんのことでも思い出したんじゃ？　しばらく顔を見てやせんしねえ。でも年上の女は、旦那には扱い辛いと思いやすよ」

「うるさいなあ。橋を見てただけだ」

「——橋……吾妻橋なんて、毎日、通ってるじゃねえですか。あ、それとも橋の向こうに誰かが潜んででもいやすか」

からかうように半次が言うと、加納は我に返ったように、

「いや、なんでもない。あとひと廻りするとするか」

と橋には背中を向けて歩き出した。

「ほんと大丈夫かい……」

半次は首を傾げ、ぼやくような声を漏らして、追いかけるのだった。

同じ夜、浅草田原町辺り——。

「火の用心、さっしゃりましょう！　火の用心、さっしゃりましょう！」

拍子木を打ちながら、町衆が歩いている。町火消しは元より、自身番や辻番の番人、名主や商家の主人、手代たちも一緒になって巡回していた。やはり盗賊を警戒してのことだった。

その中に、桜と竹の姿もあった。盗賊騒ぎがあって不用心だからと、今日は店を閉めており、近所の水茶屋や居酒屋の主人らとともに見廻っているのだ。新八も拍子木を打ちながら、「火の用心」を繰り返していた。

この辺りは、商家の間に武家屋敷もあったが、浅草寺を挟んで反対側はほとんど寺社地である。夜は鬱蒼として暗いだけだ。

月も出ていない闇夜を――旗本の供侍風の数人に護衛された武家駕籠が、ゆっくりと通っていった。先頭の中間は、梅の家紋の入った提灯を掲げている。

広い通りから細い路地に曲がったとき、ふいに人影が現れた。

「何者だッ」

供侍風のひとりが前に出た。身を引くように腰を屈めたのは――梅だった。いつものような派手な衣装ではないが、品のある八重梅をあしらった着物姿である。

「あ、これは申し訳ありません。失礼を致しました」

駕籠が一瞬、停まり、供侍風らが駕籠を護るように身構えた。

「女……邪魔だ」

供侍風のうち供頭らしき男が邪険に言うと、梅は腰を屈めたまま、

「私はすぐそこにある水茶屋『おたふく』の者でございます。名は、梅と申します……あ、その御家紋と同じですね、うふ」

「どけと言っているッ」

「袖振り合うも多生の縁。今度、そこの『おたふく』までお足を運んで下さいまし」

「水茶屋の女ふぜいが、無礼だぞ！」

供頭は声高に言ったが、梅は怖がる様子もなく、

「無礼ついでに、駕籠の中の御仁のご尊顔を、拝したいと存じます」

「なんだとッ。これ以上の狼藉（ろうぜき）は許さぬぞ」

そのとき、近くで「火の用心」の掛け声と拍子木の音が聞こえた。

「ほら。火の用心の見廻りをしておりますが、実はあれ、〝鬼灯の幻蔵〟という盗賊一味が出ないかと見張ってるのです」

「だから、なんだ」

「もしかしたら、その中に盗賊が隠れているのではないかと思いまして。だって、ふつうの旅籠にだって潜んでいるんですよ」

「黙れッ。これ以上、愚弄すると捨て置かぬぞ」

「梅の家紋といえば、加賀（かが）百万石のお殿様。それにしては、しょぼい武家駕籠ですし、供のお侍も少ないのですね。もしかして何かのお祭りの出し物かと思いまして」

「女……許さぬ。そこに直れ！」

供頭は刀を抜き払うや、切っ先を梅に突きつけた。

「見せられない訳がおありのようですね。その駕籠の中にはお殿様ではなく、何処ぞで盗んだばかりの千両箱でも入ってますか」

挑発する言葉に、家臣風の供侍たちはザザッと梅を取り囲んだ。

「無礼打ちに致す！」

供頭が斬り掛かったが、梅はひらりと二、三間後ろに飛び跳ねて逃げた。供侍たちが追いかけると、いつの間に廻ったのか、路地の反対側から梅が猫のように駆け寄ってきて、素早く駕籠の扉を開けた。

中には、千両箱が三つ重ねてあった。

「ほらね！」

梅がニッコリと微笑むと、気付いた供頭が「こやつ！」と斬り掛かってきた。その刃の下を潜って、また後ろにひらりと飛んだ梅は呼び笛を取り出して、

――ピイピイピイ……！

と甲高い音を発した。すると呼応して、あちこちからも同じ呼び笛の音がして、同時に男衆たちの「向こうだ！」「行け、行け！」と怒鳴る声も近づいてきた。

家臣姿の侍たち数人が、行く場に困っているところへ、加納と半次たちが駆けつけてきた。それに、梅が物陰から、

「そいつら、盗賊だよ。駕籠の中に三千両もあるよ！」

と声をかけた。

「なんだとッ。おまえら、〝鬼灯の幻蔵〟一味か！」

半次が先頭になって突っ走っていくと、他の下っ引たちも追いかけた。相手はいずれも刀を構えているが、半次は怯むこともなく長い十手を振りかざして、

「観念しやがれ！　てめえらみんな地獄に送ってやるぜ！」

と凄みのある声で迫った。昔取った杵柄ではないが、やくざ者でも震え上がる風貌の上に、態度にも恐怖を覚えるほどだった。

同時に、あちこちから自身番の番人らが、袖搦みや刺股を持ってきて、賊一味が逃げられぬように路地の両面を封じた。

「もう逃げようがないぜ。大人しくお縄になるんだな、幻蔵！」

「……」

どうやら供頭が盗人の頭領、幻蔵のようだった。

「その面構え……どう見ても、まっとうなお武家じゃねえやな」

半次が十手を突きつけて一歩踏み出した。

そのときである。目の前の商家の裏木戸から、若い娘が出てきて、「ひゃっ」と小さな悲鳴を上げた。島田髷に結った桜や梅くらいの年頃の町娘である。暗くて顔はよく見えないが、仕草からも可愛げな女に見えた。

すると、幻蔵はとっさに、その町娘の腕を摑(つか)んで、背後から抱き寄せるなり、喉元に刀の刃を当てた。

町娘は声にもならず、泣き出しそうな顔になった。騒ぎに様子を見に出てきただけのようだったが、間が悪かった。喉元にひんやりと触れた刃が冷たかったのか、「ヒッ」と声が洩(も)れそうになったが、町娘は恐怖で声を殺していた。

「動くんじゃねえ、三下(さんした)！」

半次も、踏み出そうとしていた加納も逡巡(しゅんじゅん)して止まった。他の者たちも下手に手出しができないと硬直してしまった。

「道を開けろ。でねえと、この小娘の命はねえぞ」

幻蔵は野太い声で脅してから、さらに周りを見廻しながら、

「さっきの女もその辺りに潜んでるんだろうが、下手に手出しすると、こいつ共々、ぶっ殺すぞ……てめえら、道を開けろってんだろうが。逆らうとブスリといくぜ！」

と脅した。

他の家臣風の恰好(かっこう)をした手下たちは、武家駕籠を担いで、行く手を開けた下っ引たちの前を堂々と擦り抜けて去った。半次はすぐに「誰か、追え！」と叫んだが、幻蔵は町娘に刀を添えたまま、

「追うんじゃねえ。動くな。でねえと……」

すぐに斬り殺すと脅した。

だが、半次は険しい表情をさらに厳しくして、

「そんなことをすりゃ、おまえだって命はねえ。娘を放して、大人しくお縄になりゃ、命だけは助けてやる」

「十両盗めば首が飛ぶ。その手は食わないぜ。それともなんの罪もねえ、この娘を道連れにしていいってのか、ええッ」

幻蔵はさらに刀に力を込めたが、半次はじっと相手を見据えて、

「――面白え、やれるものなら、やってみやがれ。その前におまえの喉笛も切り裂いてやるぜ。駒形の半次を舐めるなよ」

と十手を握り直した。長い十手の先は、槍のように尖っている。

「ほう……岡っ引のくせに、関わりない町娘を犠牲にしたいってか……」

無慈悲そうに幻蔵が目を細めたとき、

「おい、半次。挑発するなッ……幻蔵とやら、話をしようではないか。俺は北町の加納福之介というものだ。落ち着け」

と加納が割って入るように、踏み込んできた。

「加納福之介だと……はは、たしかに間抜けな面をしてやがる」

福之介の名を聞いた町娘は思わず、加納の顔を見た。同時に、加納も町娘を見て、

異様なくらいに凍り付いた。

「？……」

　ふたりが衝撃的な目で見合う様子を見て、半次は怪訝に感じた。

　だが、幻蔵からも目を離せない。隙が生じるのを窺っていた。すると、町娘は震える声で加納を見ながら、

「た、助けて……」

　と訴えた。

　幻蔵は容赦しない不敵な笑みを浮かべて、町娘を引きずるように下がった。半次はジリジリと間合いを詰めようとしたが、幻蔵はさらに町娘の首筋に刀を這わせて引いた。微かに血の筋が浮かぶ。

「待て。斬るなッ」

　加納が必死に言うと、町娘は救いを求めるように大きな瞳で見つめ返した。幻蔵はまた嚙み殺すような笑い声を洩らしながら、少しずつ加納と半次らから離れると、いきなり町娘を突き飛ばして、通りに駆け出た。

　崩れる町娘は思わず、追いかけようとした加納の方へ倒れた。とっさに受け止めながら、加納は大声で、

「追え、追ええ！」

と叫んだ。命じられるまでもなく、下っ引たちはすぐに追ったが、幻蔵は忍びのように辻灯籠の上にひょいと跳び上がると、さらに近くの寺の塀の上に飛び移って姿を消した。裃姿なのに、あまりにも鮮やかな動きに、下っ引たちは、「逃がすな、追ええ！」と叫びながら、おろおろするだけであった。

半次の前では、加納がまるで労るように、町娘の肩をさすっている。

「——旦那……知り合いですかい？」

「え……いや、違う」

戸惑ったように町娘から離れて、「大丈夫か」と声をかけた。

「ああ、怖かった……殺されるかと思った……旦那さんたちのお陰で助かりました」

町娘は泣きそうな顔で頭を下げると、飛び出てきた裏木戸の中に戻っていった。

バタンと閉められた戸をじっと見ている加納に、半次は近づいて訊いた。

「本当に知らない娘なんですかい？」

「ああ……」

「まさか、こんなときに、一目惚れなんて言い出すんじゃありやせんよね」

「バカを言うな……」

加納は気を取り直したように、

「結局、取り逃がしたじゃないか。こうなりゃ、夜を徹して探すぞ、おい！」

と駆け出した。

その後ろ姿を、半次は見送ってから、また町娘が消えた裏木戸を振り返った。

二

「――妙な塩梅だよね……また逃げられただなんて、今度こそ、福ちゃん、定町廻りから外されるかもね」

店の準備をしながら、竹が心配している。

「それにしても、武家に扮して駕籠の中に盗んだ金を隠すなんて、考えたわよねえ。しかも加賀百万石の提灯ならば、町木戸だって開けてくれるわよ」

「大丈夫。梅が追いかけて、隠れ家を探してくるわよ」

桜は暢気に構えているが、丸一晩経っても、梅はまだ帰ってきていなかった。

浅草界隈には大小百近い寺がある。その中に逃げ込まれては、町方はすぐには探索できない。寺社奉行が乗り出してくるのに、何日かはかかる。その間に盗賊は何処かに逃げているであろう。

「そりゃないわよねえ。支配なんて、取っ払えばいいのに。そのために火付盗賊改がいるんじゃないの？」

竹は誰かに、憤懣をぶつけたい思いだった。

「ねえ、桜姉ちゃんは、これまで梅姉ちゃんとふたりで頑張ってきたけれど、私も一人前に扱ってくれないかな」

「え……？」

「そりゃ私は、桜姉ちゃんのように上手い策略や考えは思いつかないし、梅姉ちゃんのように身軽に飛び跳ねたり、男勝りの武芸もできないけどさ、悪い奴の中に飛び込んで探りを入れたり、ちょっとした仕掛けならできると思うんだ」

切実な顔になって、竹は訴えた。

「だから、私も〝紅殻小僧〟の仕事をキチンとしたいのよ」

「そりゃ嬉しいけどさ……まだ十六だし、危ない真似はさせたくない」

「足手まとい？」

「まあ、そうだね。もう少し修業してからにしよ。留守を守るのも大切な役目だよ」

「留守……？」

「事件が起こるたびに、店を休むわけにはいかないし、何か不都合なことがあったら、例えば遠山様とかに報せてくれる人もいないと、却って私や梅が危ない目に遭うでしょ」

桜は上手く宥めたつもりだったが、竹は納得していないようだった。

「ほら、そろそろお客さんが来るかもしれないから……」

急かすように桜が言ったとき、「邪魔するぜ」と見慣れない客がふたり入ってきた。

いずれも中肉中背で、清潔感や気品の漂う商家の旦那風である。

「いらっしゃいませッ」

艶やかな声で出迎えた桜が言うと、竹も元気な声で挨拶をした。

「ほう……こりゃ噂に違わねえ、別嬪姉妹じゃないか。おたふくとは大違いだ」

「ありがとうございます。奥には他に、何人も綺麗どころがおります。見目麗しいだけではなくて、お話が面白くて、殿方に楽しんで頂けると思います」

「ああ、評判は聞いたよ。あの歌麿の娘たちなんだってな」

「二代目・歌麿ですけれどね。宜しくお願い致します。さあさあ、奥にどうぞ」

桜が招き入れると、商談もあるから小部屋がいいと、客のひとりが言った。承知しましたと、桜は奥の一室に案内してから、

「店で一番の綺麗どころを連れて参りますね」

と言うと、客のひとりが、

「梅さんは、いるかい」

「おや、梅がお目当てでしたか……生憎、風邪を拗らせてしまって、今日は店に出られないんですよ」

「そうかい……それは残念だなあ」

客ふたりは顔を見合わせて、つまらなそうに俯いたが、桜は梅よりも美人を連れてくるからと立ち去った。

厨房に向かった桜は、簡単な惣菜などを作っていた新八に、

「――今入った客ふたり、様子を見ておいてね」

「何か気懸かりでも？」

「梅を訪ねてきたみたいなの。初めて来た店で、いきなり名指しは妙でしょ」

「美人三姉妹と知られてるからね」

「それに、商人の形をしているけれど、言葉や態度の端々には、そうじゃない臭いがあるのよ。すぐに分かったわ」

「もしかしたら……」

「ええ。福ちゃんたちが取り逃がした例の一味が、様子を探りにきたのかもしれない」

「――へえ、承知しました」

新八はすぐに酒と突き出しを用意して、店で一番の評判娘の蜜柑という娘を、ふたりの商人の座敷に案内した。

「後で、もうひとり来させますので、まずは一杯……越後の酒でございます」

と言いながら、蜜柑に酒を注がせて、ふたりの顔を刻むように覚えていた。

そこへ、竹が来て、客ふたりの間にチョコンと座り、

「おたふく三姉妹の末っ子の竹です。よろしくね」

と言って新八に目配せをした。

桜との話を聞いていたから、早速、探りに来たのかもしれないと新八は案じた。が、竹は屈託のない明るい笑顔で、蜜柑とともに接客するのだった。


その頃——半次は、浅草蔵前から浅草御門、大伝馬町から神田辺りの大店が軒を並べている界隈を歩いていた。

近頃、〝鬼灯の幻蔵〟が押し入ったと思われる大店を、今一度調べて、盗賊一味の足取りを洗っていたのだ。

神田佐久間町の〝盗人宿〟は潰されたものの、他にも似たような旅籠はある。大伝馬町界隈の公事宿などにも、以前は盗人が隠れていた事件が幾つかあった。

公事宿とは、関八州から訴訟のため江戸に来た者を泊める宿で、訴状の代筆から、奉行所への同行も担う。信頼が高い宿だからこそ、盗人は紛れ込むことで、お上の探索を回避することもできる。

その公事宿が並ぶ一角の小さな宿から、若い町娘が出てきた。ここは公事宿ではな

いが、訴人たちが泊まれなくて、待機している者たちが身を寄せる場だった。

「娘さん……ちょいと宜しいですか」

半次がいきなり声をかけたのは、武家に扮した〝鬼灯の幻蔵〟一味が通りがかったとき、商家の裏木戸から不用意に飛び出てきた、あの町娘である。首筋には微かに、刃物で引かれた痕が残っている。

「あのときは、危なかったなあ」

「えっ……」

「心の臓が止まるほど怖い目に遭ってたし、暗かったから、俺の顔を覚えてないかもしれねえが、その場にいた岡っ引でさ。半次という者で、北町奉行所、定町廻り同心の加納福之介からこれを預かってやす」

と羽織の裾を軽く捲(まく)って、半次は十手を見せた。

「あ、ああ……そうでしたか……あのときは、お世話になりました」

「ちょいと、そこの茶店で団子でも食いながら、話を聞かせて貰えやせんか」

相手は小娘だが、父親ほどの年の半次は下手に出て誘った。だが、町娘は不審に思ったのか、困り顔になって、

「――今ですか……ちょっと急ぎの用があるのですが……」

と断ろうとしたが、半次は少し強引に、

「手間は取らせやせん。こうして、やっと探し出せたんですから、せめて名前くらいは教えて下せえやし」

「……」

「だって、娘さんは、あの商家の人じゃありやせんでしょ。後で商家の者たちに訊いたら、娘どころか、跡取りもいねえとか。なのに、なんで店の裏木戸から、吃驚(びっくり)したように飛び出てきたんでやす？」

「それは……」

「しかも、あの店は近頃は閉めていることが多いって話で、人手も減ってるそうです。ま、そんなことより、娘さんはなんで、あの店の裏庭にいたのか、それを訊きたいんでさ」

明らかに半次は、何かを疑っている様子だが、ハッキリとは言わなかった。町娘は名乗ることもなく、

「――それは……騒ぎがあったから怖くて、身を隠していたんです」

「なのに飛び出してきた。そもそも裏木戸は外からは入れやせんが、何処から入って隠れてたんでやす？」

「……あの、私が何かしたのでしょうか」

町娘の表情が明らかに、半次を忌み嫌っているようになった。

「あんたは、加納の旦那をご存じなんで？」

「えっ……いいえ……」

「でも、あのとき、吃驚したような顔をなさった。それは旦那も同じでね……お互い知っているような感じだったが」

「いいえ。知りません。もういいですか、私、本当に用事が……」

町娘は避けて行きかけたが、半次は立ちはだかり、

「加納の旦那を知らないと聞いて安心した。ちょっくら、自身番まで来て貰おうか」

と岡っ引らしい口調になった。

「えっ……」

「もし加納の旦那の縁者か何かなら、こっちも気を遣わなきゃならねえが、赤の他人なら遠慮なく、おまえの素性を聞かせて貰うよ。ハッキリ言おう……おまえは〝鬼灯の幻蔵〟の仲間だな」

「⁉——な、何を言い出すんですか」

振り払うように逃げ出そうとする町娘の腕を、半蔵はガッと摑むのだった。

そのまま、すぐ近くの伝馬町牢屋敷近くにある自身番に、町娘を連れていった。堀割と高い塀に囲まれた牢屋敷が見える所だからか、ここに連れてこられた咎人たちはビビってしまい、意外とすぐに白状することが多い。

だが、この町娘は意外としぶとかった。

名前だけは、〝果奈(かな)〟だと名乗ったが、本当かどうかはまだ分からない。筵(むしろ)の上とはいえ、まるで咎人のように土間に座らされているのに、怯(おび)える様子もない。むしろ、ふて腐れた悪女にすら見える。

「──どうやら、ろくな生き様ではなかったようだな」

半次は挑発するように言ったが、果奈と名乗った娘は鼻で笑っているだけだった。

「おかしいか……何度でも訊くぞ。おまえはどうして、あの商家に潜んでいたんだ。いや、咄嗟(とっさ)に裏庭に入って、まるでそこから出てきたように見せかけたのは、幻蔵一味が町方に追い詰められたからではないのか」

「……」

「後で考えりゃ、どうも芝居がかってた。幻蔵の人質になったふりをして、奴らを逃がすための芝居だったのだろう」

「……勝手な御託ばかり、もう勘弁して下さいまし」

「どうして勘づいたか言ってやろう。おまえは怖そうにしてたが、さほど震えていなかった。本当に恐怖に陥った者は、芝居じゃできねえ震えが起こるんだ。真似できねえほど、小さな震えが数多くな」

「……」

「だが、おまえは違ってた。だから俺は、あえて幻蔵を挑発した。おまえが殺されようが、幻蔵をその場で捕らえるってな……それでも、幻蔵は斬ることはなく、おまえも大して怖がっていなかった」

半次は鋭い目で果奈を見据えて、

「関わりない奴なんざ、容赦なくぶっ殺してきた幻蔵だ。もし見知らぬ町娘を人質にしたとしたら、突き放して逃げる瞬間に、そいつを一刺しくらいするだろうぜ。その方が、追っ手も驚いて、動きが鈍るからだ」

「……」

「それどころか、むしろ、おまえの方がわざと加納の旦那の方に倒れてきた。まるで追いかけるのを邪魔するようにな」

「——親分さんの思い過ごしです……」

「では、何をしていたのだ」

しつこく訊く半次に、果奈は姿勢を少し崩して、

「ああ、やだやだ……だから十手持ちなんてのは嫌いなんだよ」

と俄に蓮っ葉な態度になった。

「だって、そうじゃないか。人を見たら泥棒と思えってか？　そりゃね、親分さんの言うとおり、ろくな生き方はしてこなかった。ええ、この身を売ってましたからね

え」

「そうなのか……」

「惚れた男と一緒になったけれど、ほんの短い間に先立たれた。おまけに借金だけが山のように残ったんだから、仕方がないだろ」

「作り話じゃねえのか」

「ふん。博打(ばくち)好きでどうしようもない奴だったけどね。私には意外と優しかった」

「優しい奴が借金を残して死ぬか」

「だって殺されたんだから仕方がないじゃないか。亭主は岡場所(おかばしょ)の用心棒……相手はそれこそ、お武家様でさ、因縁つけられてバッサリ……あっけないもんだった」

「その話が本当かどうか、調べればすぐに分かることだ。どうせ出鱈目(でたらめ)だろうがな」

「疑り深いですねえ……親分さんも嫌な人生を過ごしてきたんですね。人を信じられないなんて、ああ、やだやだ」

捨て鉢のような言い草の果奈の前に、半次は座り込んで十手を突きつけた。

「〝鬼灯の幻蔵〟とは本当に関わりないんだな」

「はい。閻魔(えんま)様に誓いますよ。舌を抜かれたくありませんからね」

それでも、半次は尋問を続けようとしていた。そこへ——サッと扉を開いて、加納が入ってきた。なぜか気色ばんでいる。

すぐに果奈は顔を背けた。加納もあえて果奈を見ずに、

「どういうことだ、半次。勝手に、その女を自身番に連れ込んで、どういうつもりだ。なぜ俺に一言、伝えなかった」

「怪しいから、話を聞いてただけです」

「だとしても人をしょっ引くには、それなりの手続きがいる。めったやたらに責め立てりゃいいってものではないのだッ」

いつになく激しい口調で言う加納を目の前にして、半次はむしろ深い疑念を抱いた。

「しかし、旦那……こいつは知らないと嘯いてるが、幻蔵と関わりがあるかもしれねえんでやすぜ。でやしょ。この女が出て来なければ、あの場でお縄にできたんでさ」

「半次……盗賊を縛るためなら、関わりのない人間が死んでもいいというのか。親父には、そんなことは一言も言われたことがないぞ」

「ですがね……」

「もういい」

加納は半次を押しやると、果奈に向かって、

「おまえは帰ってよい」

と言った。

思わず半次は止めようとしたが、加納は構わないから立ち去れと命じた。果奈はお

もむろに立ち上がると、「とんだ、とばっちりだよ」と小さな声で吐き捨てて、自身番から出ていった。

「旦那……このまま果奈を放り出したら、むしろ危ねえんじゃないですか」

「……」

「幻蔵が殺すかもしれやせんぜ。果奈が自身番に連れ込まれたことは、仲間の誰かが見ているに違いありやせんから」

「えっ……」

「果奈って名は本当のようですね。しかも旦那が知ってる女……だって旦那は、名を聞いても不思議に思わなかったんだから」

「――幻蔵に殺される……」

急に不安が込み上げてくる加納の顔を、半次は覗き込んで、

「やはり旦那は、何か曰くがあるんですね、あの女と」

と訊いた。

加納はためらいがちな顔になって、

「――しばらく、俺に任せろ……あんな女にしたのは……」

と何か言いかけたが、振り払うように飛び出していった。

表に出ると、通りの向こうの方に、まだ後ろ姿が見えた。加納は気持ちを昂ぶらせ

て、懸命に駆け出すのであった。

三

何処へ向かうのか、急ぎ足で歩いていく果奈の後ろを、加納は追いかけた。

すると、横合いから出てきた商家の旦那風の男が、親しげに果奈に声をかけた。加納は嫌な予感がして足早に近づくと、

「おい、待て！」

と大きな声をかけた。

旦那風の男は振り返ると、果奈から離れて近くの商家に入っていった。

果奈を追い越した加納は、前に立ちはだかって、

「今のは知っている男か……？」

と訊いた。

「声をかけられただけです。なんなんですか……」

「――このとおりだ、果奈……」

深々と頭を下げる加納を、果奈は白けた顔で見ている。いくら若いとはいえ、町方同心が女に頭を下げる姿を、通りすがりの者たちは立ち止まって不審そうに見ていた。

「すまなかった……あの夜、俺はあの橋まで行ったんだ。吾妻橋だ……おまえと手に手を取って逃げるためにな」

「……」

「いや、逃げるんじゃない。ふたりして新しい門出のために、俺は十手を捨てて、誰とも縁を切って、おまえと……」

果奈はまじまじと加納を見ていたが、

「お兄さん、誰だい。たしかに私は果奈って名前ですがね、あなたみたいな立派な同心様には縁もゆかりもありません」

「そう言うな、聞いてくれ……」

加納は手を伸ばそうとしたが、果奈は振り払って、吹き出した。

「なんだねえ。真っ昼間から口説こうってのかい。いくらなんでも、日の高いうちに寝床に入るのは御免だよ」

「果奈……」

「人の名を気安く呼ばないでおくれ。もっとも、払う金次第かねえ……一晩十両でなら相手してもいいよ」

小馬鹿にしたように目を細める果奈は、周りで見ている人たちに向かって、

「この若いお侍さん、私と寝たいってさ。貧乏同心のくせに困ったもんだわよねえ。

そもそも、十手持ちのくせに、金で女を買うって、どういう了見してんだか」

　と蓮っ葉な声で言った。

　それでも、加納はさして気にする様子はなく、頭を下げたまま動かなかった。立ち止まって見ていた者たちは、「タチの悪そうな女だ」などと呟きながら散っていった。

「すまなかった……俺はおまえのことを一日たりとも忘れたことなんかなかった……このとおりだ。こうして会えたのも前世からの縁に違いない。だから……」

　加納がまた手を差し伸べると、果奈は払い除けながら、

「前世からの縁……ハハ。抱きたいなら、金を出せって言ってるだろうが。穢れた身でもね、ただじゃ御免なんだよ、ただじゃ」

　と歩き出したが、今度はしっかりと手を握りしめられて、路地裏に連れ込まれた。

「しつこいねえ。痛いじゃないか、放しておくれよ、もう！」

　だが、加納は構わず引いて、どんどん先に引っ張って歩いていく。

「何をするつもりだい。まだ疑ってるのかい。あの岡っ引に言ったとおり、幻蔵なんてのは知らないし、あんただって知らないッ」

「いくら嘘をついても、この手が忘れていないよ。昔のまんまの果奈の手だ」

　加納がさらに強く握りしめると、果奈の抵抗が少し弱まり、表情にも微かな憂いが浮かんできた。加納はまるで子供を引きずるかのように、さらに歩き続けた。

そんなふたりを――先刻の旦那風の男が目で追いながら尾けていた。さらに、その後ろには、なぜか竹の姿があった。

加納が果奈を連れてきたのは、『おたふく』であった。表戸は開いていたが、まだ店の準備すらしていなかった。

桜と新八が振り向いて、一見してただならぬ様子だと察した。

「福ちゃん……どなたです、その娘さん」

訝しげに桜が訊くと、加納は曖昧な笑みを浮かべて、

「はは、少し童顔だが、桜さんと同じ年だよ。一つ年上の女房は金の草鞋を履いてでも探せってけど、俺の目の前にはふたりもいる。果報者だなあ」

と言った。だが、新八も心配げに、

「旦那……訳があるなら、遠慮なくおっしゃって下さい」

「え、ああ……果奈といって、俺の幼馴染みみたいなものだ。訳は聞かずに、しばらく面倒を見て貰えないか」

「……それは、どういう。店の娘なら足りてますが」

「そういう意味ではない。八丁堀の組屋敷に連れていってもよいのだが、近所の目もあるのでな。よろしく頼む……ちょっと奥の部屋を借りるぞ」

果奈を押しやるように奥へ行こうとする加納に、桜が声をかけた。

「旦那……なんだか、いつもより頼もしく見えるよ」

「……」

「そんないい人がいるなら、もう店には寄りつかなくなるかしらねえ」

からかうように桜は言ったが、加納は何も言わず、果奈を奥に連れていった。その様子が尋常でないことは、桜も新八も充分に分かっており、慎重に見守ることにした。

奥の座敷に陣取った加納は、優しい声で果奈に声をかけた。

「さっきのはこの店の女将、桜と番頭の新八だ。本当に二代目・歌麿の娘で、けっこう繁盛している。妹に、梅と竹というのがいて、美人三姉妹というのが売りだ」

「すみませんねえ。私は本当のおたふくで」

「何を言う。おまえが一番だよ」

「――ふん」

「桜はとても頼りになる人だ。俺が信用ならないなら、すべてを任せてみないか」

「……」

「俺もなんだかんだいって、北町奉行の遠山様に目をかけられてる。まあ、親父の七光ってやつだがな、事情が分かれば必ず力になって下さる御仁だ」

「事情ってなんです？」

そっぽを向いたまま果奈が訊き返すと、加納は横顔を愛おしそうに見つめながら、

「本当のことを話してくれれば、俺が体を張って守る。半次がおまえを探し出したのは、よほどのことだろう。あいつは親父の岡っ引だった奴で、裏渡世にも通じている。だから、俺を信じてすべてを話してくれないか」

「――お説教は御免だねえ……それにしても、随分と出世したもんだ」

果奈は店の中を見廻しながら、

「こんな高そうな水茶屋に通えるくらい袖の下もガッポリかい……私が地獄のどん底を這いずり廻っている間に、おまえさんはぬくぬくと贅沢な暮らしをしてたってわけだ」

と皮肉たっぷりに言った。

加納は言い訳をするどころか、愛おしさと同情がいりまじった目で見つめながら、

「……本当に、おまえは〝鬼灯の幻蔵〟の仲間じゃないんだな」

「なんだい。結局、吟味かい」

「どうなのだ。俺にだけは本当のことを言ってくれ」

あくまでも優しく言う加納だが、果奈の方は横を向いたまま、

「知らないよ」

「信じていいんだな」

「だったら、しばらくここにいてくれないか。後で必ず迎えに来る。〝鬼灯の幻蔵〟の一件を片付けたら、必ず……」

「ええ」

意外そうな顔を向ける果奈を、加納は揺るぎない目つきで、

「気を悪くするかもしれないが、おまえは幸せな暮らしをしているようには見えない。これからは俺が……」

「何を勝手な御託を！」

果奈は吐き捨てるように言うと、苛ついて立ち上がった。

「あんたなんかに面倒を見て貰う謂れなんかないよ！」

「果奈……許してくれ。たった三年かもしれないが、俺にとっても地獄のような長い歳月だったんだ。だから、おまえに何があったかも一切、訊かない。だから……」

「……」

「お願いだ、果奈……許してくれ……」

縋るように言う加納を、果奈は見下ろしたまま立っている。その目には、怒りとも憎しみともつかない潤いがある。

「――本当に詫びたいのなら……連れて逃げて下さいな」

「え……」

「今度こそ、私の手をしっかりと摑んで、一緒に逃げて下さい……本当は怖いのよ……鬼灯の幻蔵のことが……」

消え入るような声で言うと、果奈はまるで子兎のようにブルブルと震えるのだった。

加納は衝撃の目で見ていたが、襖を挟んだ裏では、新八も驚きの顔で聞いていた。

さらに――店の外の路地では、先刻、果奈に声をかけた商家の旦那風が耳を欹てていた。

どこからか一陣の風が吹いてきて、路地裏には土埃が舞い上がった。

四

千住宿は隅田川の舟運と、日光街道などの街道が集まる要衝であるから、江戸に負けない賑わいがあった。宿場外れの〝別れ松〟と呼ばれる一角にある破れ寺の本堂に、〝鬼灯の幻蔵〟一味が潜んでいた。

傾いた阿弥陀如来像の下には、幻蔵を中心に数人の手下が車座になって、酒を飲んでいる。ここも〝盗人宿〟同然に隠れ家になっているようだった。

そこに、軋む障子戸を開けて入ってきたのは、『おたふく』を訪ねたもうひとりの商家の旦那風だった。だが、今は行商人の姿をしている。

「おう、鮫吉……様子はどうだった」

眼光の鋭い幻蔵が声をかけると、行商人風は正座をするなり、

「どうも厄介なことになりやした……」

と冴えない声を返した。幻蔵は不機嫌な顔にガラリと変わり、

「なに。どういうことだ」

「へえ。実は……」

鮫吉が恐縮したような態度で答えた。

「頭に名乗った、あの〝くの一〟もどきの女は、たしかに『おたふく』という水茶屋の者だったようです。あっしらが訪ねたときにはいやせんでしたから、もしかしたら、ここも目を付けられているかもしれやせん」

子分たちは俄に立ち上がろうとしたが、幻蔵は「慌てるな」と座らせ、

「で……何が厄介なんだ」

「果奈のことでやす」

「どうした。トンズラでもこいたか」

「いえ……果奈はどうやら、あの夜、俺たちを捕縛に現れた若い同心と、昔馴染みだったようでして、今、『おたふく』に身を匿われておりやす」

「なんだ……？」

「水茶屋の女将は、どうやら加納という同心と知り合いのようで、お互い信頼し合ってる様子がありやす。なので、果奈も心が動いている節がありやした。もしかしたら裏切るつもりかもしれやせん」

鮫吉は盗み聞きしたことを伝えたが、幻蔵はニタリと笑い、

「それはねえ。果奈は俺の命令どおり、町方役人を引きつけてるだけだ」

「かもしれやせんが……加納という同心とはただならぬ仲だったようで、『今度こそ連れて逃げて』と言ってました。頭のことを、本当は怖い、とも……」

「果奈の手口だ。あいつの体には俺の血と汗が染み込んでるんだ。どういう事情があったかは知らぬが、果奈は裏切らねえよ」

幻蔵がキッパリと言うと、子分としてはそれ以上は何も返せなかった。だが、鮫吉は恐縮しつつも、

「ですが、一応、伊平（いへい）に見張らせておりやす。ていうのは、頭……」

「なんだ……」

「『おたふく』って店の三人娘は、あの二代目・歌麿の実の娘なんで、へい……なので、もしかしたらと思いやして、あっしも色々と調べてみました……」

と言い続けようとしたのを、幻蔵は止めて、

「歌麿の娘ってのは本当かい」

「へえ、確かでやす」

「――あの梅って娘がそうなら……なるほどさもありなん、か」

「頭、どういうことでやす？」

「おまえらも耳にしたことがあるかもしれねえが、二代目・歌麿ってなあ、あの遠山左衛門尉の手の者だって噂があった……だとしたら、半次という岡っ引と付き合いがあるのも分かる。奴は俠客の伝法院の寅五郎の子分だったが、二代目・歌麿を通して、加納達之介に引き取られた経緯がある」

「加納……あの若同心の父親ですかい」

「だろうな。ふーん、そういうことか……なるほどなあ」

幻蔵は自分で納得したように頷いて、酒を飲み干すと大笑いした。

「頭……何が可笑しいんでやす……」

「遠山は若い頃、伝法院の寅五郎の所にも出入りしていたような悪童だったらしい。そういう繋がりがあるから、俺たちの動きにも敏感なんだろうぜ」

「だったら余計にやばいじゃありやせんか。ここからも早く引き上げた方が……」

「ああ、おまえたちはそうしろ」

「どういうことです……」

「もう少し江戸に逗留して、まだまだ獲物を頂こうかと思ったが、命あっての物種だ。

おまえたちは色々な所に散って、息を潜めて暮らしてろ。ほとぼりが冷めた頃に、また舞い戻ればいいだろう」

「で、頭は……」

「この際、遠山をぶっ潰しておく。そしたら、次に江戸市中を荒らすときには、こちとら楽に仕事ができるってもんだ。それに……奴には少々、因縁があるのでな」

「奴ってのは、遠山のことで……？」

「いや、二代目・歌麿だ。この大火傷を負わされたのは、奴のせいだからよ」

幻蔵は片肌脱いで背中を見せたが、その一面にはどす黒い火傷の痕が残っている。

「もう十何年も前のものだが、どうでえ、未だに痛々しいだろう……この火傷の恨み、美人三姉妹とやらに晴らしてやる。商売ができねえほどにな、むふふ」

盗人の頭領というよりは、殺人鬼のような形相になった幻蔵を、子分たちは気味悪げに見ていた。蠟燭に浮かぶ阿弥陀如来像の微笑みも醜く歪んでいた。

その床下には――黒装束に頰被り姿の梅が、息を呑んで聞いていた。

忍び足で立ち去ろうとすると、目の前で野良犬のような黒い影が動いた。凝視していると、ゆっくり近づいて来たのは、やはり黒装束の竹だった。

「!?――あんた、どうして……！」

梅がひそひそ声で訊くと、竹は店を訪ねてきた怪しい商家の旦那風を、ずっと尾けてきていたと伝えた。

「バカね……ここは危ない。さあ……」

と逃げ出そうとしたとき、ガタと竹が床板に頭をぶつけてしまった。

同時に、「誰かいるぞ！」と本堂で声がして、ドッと駆け出てくる足音がする。すぐに、梅と竹は裏手の藪(やぶ)の方に逃げ出したが、切り株を踏んだのか、竹が転んでしまった。

「向こうだ！　捕まえて殺せえ！」

怒声が飛び交っていると、今度は梅が張られていた鳴子の縄に絡まってしまった。

「――こんなものまで……！」

梅と竹は懸命に外そうとしたが、どういう仕掛けになっているのか、ガラガラと鳴子の音が大きくなるに連れて、足首に絡んだ縄の締め付けがきつくなってくる。

「このッ……！」

短刀を抜いて縄を切ろうとしたが、それには針金が幾重にも巻き付いていた。罠(わな)にかかると、その針金がじわじわ締め付けるようになっているようだった。猪(いのしし)など害獣捕縛のものと同様だ。

「向こうだ！　罠に掛かったぞ！」

子分たちの声と下草を踏む足音が、どんどん近づいてくる。

「梅姉ちゃん……！」

「あなたは行きなさい。ここは私が……」

「でも……」

「いいから早く。ふたりとも捕まったら元も子もない。さあ、あなたは加納の旦那に報せて、早く……早く行きなさい！」

力を振り絞って梅が押しやると、竹は「すぐに助けに戻るからね」と必死に駆け去っていき、雑木林の闇の中に消えた。

入れ替わるように、鮫吉たちが駆けつけてくると、身動きできない梅を見つけて、

「町方の手の者か……！」

と頬被りを剝ぎ取った。

「——あっ。おまえは、あのときの……」

鮫吉たちも覚えていたのか、一瞬、身を引いたが、後から来た幻蔵が、

「ふはは。飛んで火に入る夏の虫か……そっちからお出ましになるとは、歌麿も粋な計らいをしてくれるじゃねえか、ええ」

と近づいて、梅の頬を舐めるように撫でた。

雑木林の枝や葉がざわめき、異様なほど不気味に揺れていた。

水茶屋『おたふく』に半次が飛び込んできたのは、まだ客が数人、残っているが、店仕舞いの直前だった。

「加納の旦那は来てねえか」

慌てた様子で尋ねる半次に、桜は驚きつつも、

「もしかして、また出ましたか、〝鬼灯の幻蔵〟一味が」

「そうじゃねえが……」

半次は店内を見廻しながら、

「梅と竹がいねえようだが、一体、どうしたんだい」

「ちょいと使いに……」

「そんなわけがないだろう。おまえさんたちは歌麿の娘だ。何かあってからでは遅い。キチンと俺に話してみな」

裏事情を半次は知っている口振りであったが、桜としては自分たちが〝紅殻小僧〟であることは口が裂けても言えない。これは三姉妹の固い誓いであるからだ。新八ですら、ハッキリとは知らないことである。

「妹たちのことなら案ずることはありませんよ。それより、何があったのです。血相を変えて、いつもの親分とは違いますよ」

桜に落ち着くように宥められて、半次は差し出された茶を飲んでから、

「果奈という女を連れてきたはずだが、何処だ。二階かい」

「どうかしましたか……」

「やはり、その女は幻蔵の仲間だった」

「えっ、本当ですか」

驚いた桜だが、新八が近づいて来て、店の中で加納と果奈が話していた事情を伝えた。隠し立てして、事態が悪化するのを防ぐためだ。

「あっしもそう分かってやした。ねえ、桜さん……でもね、初めは預かってくれと言っていた加納さんが、昔馴染みでもあるし、今日はやはり組屋敷で面倒を見るって連れて帰ったんです」

「なんだと……！」

「加納さんも、果奈と幻蔵が繫がっていると分かったので、明日にでも奉行所に出向いて調べると話してやした」

とっさに半次は新八の胸ぐらを摑んで、

「それで、追い返したのかい」

「追い返したんじゃなくて……出ていったんですよ」

新八は半次の腕を払いながら、

「心配ありやせん。あっしも馬鹿じゃありませんから、ちょっとした知り合いに加納さんの組屋敷を見張らせてます」

「だとしたら、大間抜けだなッ」

半次は懐から、一枚の紙を差し出して見せた。そこには、

――しばらく〝鬼灯の幻蔵〟の探索に出る。すぐに帰るから心配しないでくれ。

と書かれてある。

「旦那から俺宛てに、この書き置きがあった。この十手と一緒にだ」

加納が使っている朱房の十手を見せて、

「探索に出る同心が、これを置いていくわけがねえ。ああ、たとえ隠密(おんみつ)探索でもな」

「どういうこと……」

桜が俄に心配顔になるが、今度は半次が自らを落ち着かせて、

「あの女……果奈と一緒だ……幻蔵の女かもしれねえ」

「……」

「きっと何かの罠に嵌(は)められたんだ……あっしもおかしいと思ってたんだ。旦那があの女と会ったときから」

「でも、いくら加納さんでも、女に唆されるとは……」

桜が言うと、新八は首を横に振りながら、

「それは分かりませんよ……何か深い事情があったみたいですからね。いずれにせよ、

このままでは加納さんは、盗賊一味を逃がした咎で追われる身になるのではありませんか」

「ああ、俺が心配してるのもそれだ……もし、何か手がかりがあったら報せてくれ。俺は心当たりを探してみる。頼んだぜ」

半次は裾をたくし上げると、店から飛び出していこうとした。そこへ、竹がふらふらと倒れるように入ってきた。

「おまえ、何処まで行ったんだい……」

心配げに桜が抱き留めると、

「う、梅姉ちゃんが、た、大変……助けて……早く助けにいって……」

と必死に言った。

半次と新八は顔を見合わせ、胸騒ぎが当たったかのように緊張が走るのだった。

五

薄らと空に朝焼けが広がり、江戸の海が煌めいている。夜釣りの漁船が戻ってくるのと行き違うように、沖へ向かう漁船や荷船が朝日を受けて輝いていた。

洲崎の漁師町を歩く加納と果奈の姿にも、じんわりと朝の光が射し始めた。ふたりとも旅姿だが、さほど急ぎ足ではない。むしろ、散策を楽しんでいるように見えた。波打ち際には、小さな蟹が横歩きしている。

「——幻蔵との関わりはいつからなんだ」

さりげなく加納が訊いたが、果奈は何も答えなかった。ただ、俯き加減に歩いているだけであった。

「すまない。この三年のことは、何も訊かない約束だったな」

「……また話せるときがくると思う」

「うむ……」

「私は『おたふく』の人たちに迷惑をかけたくなかっただけ……だってね、あの夜、武家に変装していた幻蔵を追い詰めたのは、梅さんなんでしょ」

「えっ……？」

「だって、あの夜、まるで猫のような女の人が現れて、一味を追い詰めたんだけれど、『おたふく』の梅って名乗ってたもの」

果奈は塀の裏で聞いていたと話した。加納は梅の勝ち気だが美しい顔だちを思い出していたが、俄に疑念を抱いた。

「まさか……⁉」

「幻蔵はカッとなると何をしでかすか分からない男だからね、気をつけてあげておいた方がよいと思う」

加納は梅のことは信じがたかったが、コクリと頷いて微笑み、

「もしそうなら、半次もきっと勘づいているだろうし、店には新八という腕っ節の強い用心棒がいるから大丈夫だろう」

「でも、福之介さん……あなた、桜さんに惚れているでしょ」

「な、何を言うんだ」

「会ったときに感じたわ。私とは比べものにならないくらい綺麗なお人。しかも優しくて頼りがいがありそう……甘えたがりの福之介さんには丁度いいわね」

「よしてくれ。たしかに桜さんたち三姉妹は、みんないい人で、心を癒してくれる……けどな、果奈。俺はこうして、いつかまた会えると信じてた」

果奈も愛おしげに、加納を見つめると、潮騒の音が高まった。

「俺はおまえを幸せにしたい。たとえ、お上に追われる身となってもな」

立ち止まった果奈は、煌めきが広がる海原を眺め、切なげな遠い目になった。

「――その言葉なら、三年前の……あの晩に吾妻橋で聞きたかった」

その横顔を見つめている加納にも、胸が痛むような表情が広がり、「果奈……」と小さく呟いてから、そっと肩を抱き寄せた。

「おまえとなら、お似合いの夫婦になれると思ってたんだがな……」

「いいえ……私はしがない小間物問屋のひとり娘。お父っつぁんは真面目に働いていたけれど、世の中は不景気で、一度歯車が嚙み合わなくなると、商いなんてすぐに……」

「でも、潰れないように頑張ってたじゃないか」

「空廻りよ……だから私は嫁に行こうと一度は決めた。あなたよりもお似合いの大店の旦那と縁組みがあってね」

「……」

「そこに嫁に行くことで、借金はそのお店がすべて返してくれることになった……でも私はどうしても、お嫁に行く決心がつかなかった……だって、私には福之介さんがいたから……」

果奈がゆっくりと歩き出すのを、加納は後からついていきながら、

「箱入り娘だったからな。親父さんは貧乏同心の俺のことを嫌ってた。侍なんて、てめえで稼ぐこともできない腑抜けだってな」

「酷い言い草ね……」

「おまえを芝居小屋に連れていったときなんか、『娘を拐かす気か』って芝居小屋にまで乗り込んできてカンカンだっただろ。芝居はめちゃくちゃ。でも、芝居より可笑しかった」

くすりと笑う果奈は振り返って、

「でも、本当は福之介さんのこと嫌いじゃなかったんだよ……大店に嫁に出すと言い出したとき、店のためなんだ、勘弁してくれって……大泣きして……」

「あの後、店を畳んで、親父さんも何処かに行ったみたいだが……ふたりとも何処かで幸せになってくれ。そう願うことしか、俺にはできなかった」

「お父っつぁんは生まれ故郷の越後に帰ったけれど死んだよ……風の便りにね」

加納は果奈に近づいて手を握りしめ、

「どのみち、俺は親父さんも果奈も幸せにできなかった。でも、今度こそは……」

と言いかけて、少し離れた並木を見やり、遊び人風の男がいることに気がついた。

その視線の動きに、果奈も見やって、「伊平」と呟いた。

「知っている奴かい」

「幻蔵の子分だよ……もうこれ以上、誰にも迷惑はかけられない。ここで別れましょう」

「バカを言うな。今度こそ俺が守ってやる」

さらに強く手を引くと、先に進むのであった。加納の目は覚悟に満ちていて、もし伊平が近づいてきたら斬るつもりであった。

その頃――千住宿の破れ寺の庫裏では、梅が捕らえられて縛られ、幻蔵がほくそ笑んでいた。周りには鮫吉ら子分がニタニタ笑いながら、獲物をどう料理するのか楽しむように眺めていた。

土間の竈(かまど)の鍋には、グツグツと熱湯が沸き上がっている。

幻蔵は片肌を脱いで背中の火傷痕を見せながら、

「この恨み、晴らさせて貰うぜ。親の因果が子に報いってやつだ。恨むんなら、遠山なんかの手先になってた親父を恨むんだな」

「……」

「皮肉なもんだな。正義面してる、おまえの親父は早死にして、世の中のためにならねえ俺の方が長生きしてる」

苦笑しながら幻蔵が言うと、子分たちからも哄笑(こうしょう)が起こった。

「分かるだろ。正直者ほど馬鹿を見るのが、この渡世ってやつだ」

「お父っつぁんは真面目だっただけよ。特にあんたらのようなクズが大嫌いでね。まっとうな者たちが安心して暮らせるように、この世の片隅で掃除をしていただけさ」

「掃除なんかできっこねえ。おまえは俺たちのことを虫けらだとしか思ってねえだろうが、虫けらは何処にでも湧いて出るんだ。踏まれても、しぶとくな」

「……」

「この綺麗な顔にぶっかけてやろうか。それともじわじわ、足や腕からいくかい」

幻蔵の目つきが俄に険しくなって、子分に「おい！」と命じて熱湯を運ばせようとした。すると、子分のひとりが、

「頭……これだけの上物はそうそういねえ。どうせなら綺麗なうちに、俺たちにひとつ観音様を拝ませてくれやせんかねえ」

と言うと、他の者たちも次々と手込めにしたいと言い出した。

「はは、それも一興だな。此度が大漁だったのは、おまえたちのお陰だ。好きにしな」

余裕のある顔で幻蔵が笑うと、まずは鮫吉が舌舐めずりをしながら、後ろ手に縛られて座っている梅に近づいた。下卑た言葉を吐きながら、梅の首筋に鼻を近づけ、

「ちくしょう、いい匂いしてやがる。申し訳ねえが、ちょっくら楽しませて貰うぜ」

と手を襟口から忍ばせた。

梅は嫌がって腰を動かしたが、その仕草が妙に艶めかしくて、子分たちは却ってからかうように煽った。

「鮫吉兄貴。じらさねえで、さっさとやっちまって下せえ」

「こちとら、見てるだけで、たまらねえ」

「早く交代して下せえよ」

「こうして見てると、頭……熱湯をぶっかけるのは勿体ねえ気がしやす。宿場女郎として売れば、結構な金になりやすぜ」

などと、ろくでなしが好き勝手なことを言いながら、梅が這って逃げようとするのをいたぶるように取り囲んだ。

鮫吉が自分の着物の裾を上げて、梅を押し倒して馬乗りになろうとしたとき、

――ゲエッ！

と奇声を上げて、後ろにすっ飛んだ。梅が股間を蹴り上げたのだ。かなり強く入ったのか、鮫吉は身動きできなくて蹲り、苦悶の声でのたうち廻った。

「やろう！」

他の子分たちが一斉に取り押さえようとしたが、梅は横転しながら逃げた。だが、腕を縛られた上に、多勢に無勢である。あっという間に身動きできなくなった。

「やろう。甘い顔してたら、つけあがりやがって。いいからかけちまえッ」

幻蔵が怒声を上げると、熱湯を持ってきた子分が梅の顔を目がけて鍋ごと放り投げようとした。が、なぜか子分はズテンと転がって、自分の腹から首辺りにかけて、熱湯をドサッと被ってしまった。梅が素早く足払いを掛けたのだ。

「アチチチ！　アチチチ！　このやろう！」

子分は大声で泣き叫んだ。

梅にも少し飛び散ったが、次の瞬間には立ち上がって、一瞬、唖然となった子分たちの鳩尾を蹴り込んだり、顔に廻し蹴りを入れたりして、その隙に逃げ出した。

「構わねえ。ぶっ殺せ！」

怒り心頭に発した幻蔵も自ら、梅が逃げ出した庭の方に追いかけた。

梅は時折、足を縺れさせながらも、身軽に飛び越えて、山門の方へ疾走した。

「待ちやがれ！」

追いかけてきた子分たちが、アッと前方を見て立ち止まった。

そこには——押っ取り刀で、町方同心と捕り方らが十数人乗り込んできた。宿場役人もいる。とっさに背中を向けて逃げようとした子分たちの前に、今度は半次が飛び出してきて、十手を突きつけて、

「観念しな。ここが地獄の一丁目だ」

と立ちはだかった。

「北町奉行所・定町廻り筆頭同心、秋月敬之助だ。大人しくに縛につけ」

と居丈高に言ったが、子分たちは匕首を取り出して斬り掛かってきた。大勢に取り囲まれて、やけくそのように振り回していた子分たちはあっという間に押さえ込まれた。

鮫吉と火傷を負った子分も、ろくに逆らえないまま、あっという間に捕縛された。

山門の隅っこで様子を見ていた梅の側に、新八が来て、縄を解いた。

「大丈夫ですかい、梅さん」

「私のことより、幻蔵を！　裏堂の方に逃げた！」

梅が指すと、新八がすぐに追いかけた。梅も休むことなく後を尾けた。

だが——裏堂に飛び込んだ幻蔵は姿を消してしまった。どうやら隠し扉があったようだ。その向こうには洞窟のような地下道があって、外に繋がっているようだった。

新八と梅は真っ暗な中を手探りで追いかけたが、外に出ると、そこは荒川の河畔だった。すでに幻蔵は船に飛び乗って、物凄い勢いで流れを下っていた。このずっと先は上総に繋がる。あるいは江戸川に出て、安房か下総の方にでも逃げるつもりか。

「ちくしょう……！」

地団駄を踏みながらも、新八は梅の前で腰を屈めて、

「本当に大丈夫でございやすか。心配しておりやした。此度は竹ちゃんも少しは役だったようですが、どうかあまり危ない真似は控えておくんなせえ」

とまるで、やくざ者が姉御にでも挨拶するように言った。たしかに油断をしたと梅は思っていた。あの夜、幻蔵が人質に取った女、つまり果奈が盗賊の仲間だと見抜けなかった自分の落ち度も悔いていた。

川風が葦原をガサガサと揺らしている。

六

日が暮れて——江戸川を下り、葛西(かさい)のある旅籠に来た幻蔵が暖簾(のれん)を潜ると、そこには伊平が待っていた。

「ご無事でしたか、頭……なんだか胸騒ぎがしやして。鮫吉たちは……」

伊平が心配そうに言うと、幻蔵は苦々しい顔で、

「みんな、とっ捕まっちまったよ」

「ええッ！」

「だから、予(あらかじ)めここに移しておいた金を持ってトンズラをこくぜ」

「へえ。ですが……」

気まずそうな表情になった伊平は、言い辛そうに、

「果奈は、ここにはいやせん」

「どういうことだ」

「鮫吉が報せたと思いやすが、北町同心の加納って野郎と一緒なんですよ」

「なにッ」

「この宿で落ち合うことになっていたので、あっしもてっきり、同心を騙(だま)すために、

果奈は一緒に逃げたふりをしていると思ってたんでやすが……」

幻蔵は、町娘姿の果奈を人質に取ったときのことを思い出していた。たしかに、ふたりは尋常ではなかったと、幻蔵も感じていたが、自分を裏切るとは思ってもみなかった。幻蔵は歯痒(はがゆ)そうに、

「あいつか……」

「どうやら、昔の男みてえでしたぜ。俺が見たところ、やはり果奈は芝居ではなく、本気なんじゃねえかと……だから、この宿もすっ飛ばしていってしまった」

「……」

「初恋同士だったのか、男もベタ惚れみたいでしたがね。盗賊の一味と知ってて、同心をやめてまで、一緒に逃げてやるんですから」

「だが……この宿の金のことは話してないってことだろう。もし、本気で逃げるなら、幾ばくかは持ち逃げしても不思議ではあるまい。きっと果奈は……」

「頭……それは甘い考えです」

伊平に図星を指されて、幻蔵は憎々しく拳を握りしめながら、

「――泣いて暮らしていたあいつを……地獄の底から救い上げてやったのは、この俺だ……昔の男だと。バカバカしい……そんな奴は俺の手で……」

「やっちまいますか、頭ッ……放っておいたら、いずれ俺たちのことも……」

「ああ、殺してやる。ふたりは何処へ逃げた」

幻蔵は歯軋りしながら言った。

「まだ、そう遠くには行ってないはずです。すぐに追いかけやしょう」

千両箱は宿に隠し置いておき、脇街道を急いだ幻蔵と伊平は、二里程歩いたところで、加納と果奈が暢気そうに歩いているのを見つけた。月夜でも楽しみながら、気儘な風来旅でも気取っているのであろうか。

路傍の葦がザザッと揺れたが、加納は気にする様子もなかった。

するといきなり匕首で伊平が斬り込んできた。あまりにも突然だったので、加納は身を煽るようにして倒れたが、匕首が袖に絡んだせいか、体には刺さらなかった。

「誰だ——!?」

雲の間から月明かりがあるものの、相手の顔はハッキリ見えない。だが、果奈には分かったようで、加納を庇うように立つと、

「おやめ、伊平。なんの真似だい。命まで取ることはないだろう」

と気迫のある声で言った。

加納は少し驚いて目を丸くした。昔の果奈とはまったく違って、やくざ者に睨みをきかせる姉御に見えたからだ。

「——おまえは、〝鬼灯の幻蔵〟の手下だな。ここのところは見逃してやる。俺は、

果奈を連れて逃げたいだけだ。とっとと失せろ」

「馬鹿か、おまえは」

野太い声がすぐ近くの背後から聞こえた。そこには幻蔵が、すでに抜き払った長脇差を手にして立っている。

「――お、おまえさん……」

驚いたのは果奈の方だった。まさか追いかけてくるとは思ってもみなかったからだ。

「当たり前だろ、果奈。俺はおまえにぞっこんだ。甘え上手で可愛いところも、しっぽり吸い付くような肌もな。さあ、そんなつまらねえ三ピンなんかに騙されず、俺のところに戻って来な」

幻蔵は見下したような目になって、

「おまえも俺の体を忘れられないだろ。なあ、果奈……金もたんまり入ったばかりだ。また好きなだけ贅沢ができるってもんだ」

「……」

「どうした。さあ、こっちへ来な」

手を差し伸べる幻蔵に、加納が踏み出て、

「果奈は渡さねえ。ああ、死んでも渡さねえからなッ」

と果奈の手をしっかり握り締めた。

「そうかい。だったら、死ね」

　ニンマリと笑った幻蔵が、すかさず加納に斬り掛かった。その勢いは、新陰流を鍛錬してきた加納でも太刀打ちできないほどの、物凄い力があった。しかも場慣れしているのか、自分が斬られる恐怖を感じていないようだ。

　加納が必死に抜刀して刃を交えたとき、果奈が幻蔵に向かって言った。

「おまえさん。早とちりしないでおくんなさいな。こいつは目眩ましさね」

「ほう、そうか」

「だから、葛西のあの宿にも立ち寄らず、こうして時を稼いでいただけだよ。こんな頼りない若造と逃げるわけがないだろ」

「そりゃ、そうだよな」

　幻蔵は不敵な笑みを浮かべて、「さあ、こっちへ来い」と果奈に手招きをしたが、加納は庇うように立った。その背後から、伊平が加納を刺そうと踏み出たとき、

　――シュッ。

　と空を切る音がして、飛来した銀簪が伊平の背中に突き立った。

「お待ちなさい」

　と駆けつけてくる女がいる。女だてらに動きやすそうな野袴に手甲脚絆の旅姿である。なんと、桜だった。

「さ、桜さん……！」

狼狽（ろうばい）するような加納を横目に、素早く割って入った桜は、加納と果奈を先に追いやって、幻蔵と対峙（たいじ）した。

「鬼灯の幻蔵。悪いけれど、ここで観念して貰いましょうかね」

「なんだ、おめえは」

「二代目・歌麿の娘のひとりですよ。加納さんの様子がおかしいので、慌てて追ってきたって始末。さあ、大人しくして下さい」

どうやら、幻蔵と父親との因縁を知っている口振りである。

「ふん。ここにも現れたか。しゃらくせえ」

幻蔵は乱暴に長脇差を振り廻した。加納が怯むくらいだから、桜も驚いたが、幻蔵の刃は猛獣の牙のように降ってくる。だが、桜が相手の脇の下を掻（か）い潜って短刀を刺すと、幻蔵は一瞬、ウッとなったものの動じることもなくさらに強く刀を振り廻した。

そこへ――地元の役人なのか、「何事だ！」と数人、大声を上げながら駆けつけてくるのが見える。幻蔵は脇腹を押さえながら、チッと吐き捨てると、一目散に逃げ出した。

「あれは、〝鬼灯の幻蔵〟だよ。追っておくれ！」

桜が叫ぶと、役人たちは懸命に尾けていくのであった。伊平も必死に幻蔵の跡を追った。

近くの旅籠に、桜は、加納と果奈を誘った。気まずそうな加納と、俯いたままの果奈は何も語らず黙っていた。

「――事情はあらかた、分かってるわ」

桜はふたりを前にして、説教をしそうな素振りで言うと、加納は頭を下げて、

「迷惑をかけた……」

「……」

「俺はどうしても、果奈を助けたくて……無理矢理、連れ歩いてたんだ」

「何を言ってるんだか。目を覚ましなさいな」

「分かってる。罪をあがなってからだってことは……でも俺にはできない。果奈を、こんなふうにしたのは……この俺なんだ」

「そうかしら？　目眩ましに利用されただけじゃないのかい」

桜はチラリと果奈を見るが、俯いたままである。

加納は土下座をして、

「頼む、桜さん……このとおりだ。一生のお願いだ。俺たちを見逃してくれ。いや、見なかったことにしてくれ」

「できませんねえ、そんなこと。仮にも町方同心じゃありませんか」

「こんな姿をお父上が見たら、なんて言いますかねえ。この場に半次親分がいたら、たとえあなたでもぶん殴るでしょうよ」

必死に食い下がるように加納は言った。

「親父の言い草なら、罪を憎んで人を憎まずだ……この女に罪を負わせるのは、あまりに酷だ。悪いとしたら幻蔵だ。だから、俺はこれからずっと、果奈のために……」

「およしなさいな」

桜は吐き捨てるように言った。

「果奈は幻蔵の女だよ。加納さんに連れて逃げてと言ったのは……」

「分かってるよ。町方の目を逸らせるためだ。何度も言ってるじゃないか……それに、それならそれで、俺は構わないんだ」

加納が覚悟を決めたように言うと、果奈はエッという目になった。

「俺はな、桜さん……こうすることしかできないんだ。せめてもの罪滅ぼしなんだ」

「罪滅ぼし……」

「一生かけて償う。あの晩、再会したとき、そう決めたんだ」

しばらく静寂が三人を包んだ。だが、それを破るように、果奈が馬鹿笑いした。

「あはは……なんだい、そりゃ」

「おかしいか」

「ちゃんちゃらおかしいねえ。あんたは私に、なんにも悪いことなんかしてない。むしろ幸せにしてくれたんだよ」

「……」

「お陰で、幻蔵に会えた。でなきゃ、最初に拾われた博打好きの男から、ずっと離られなかった。岡場所から足を洗うこともね」

「そ、そんなことまで……」

「悲しいとき……寂しいとき……いつも私を支えてくれたのは、あんたなんかじゃない……会ったときは好きでもなんでもなかった、幻蔵だったんだよ」

少し涙を浮かべながらも、

「あの人は悪党かもしれない。でも……決して私を裏切ったりしないからね」

と加納をキリッとした目で見据えた。

「私は、あの夜……あなたを待った。ずっと一晩中……」

「……」

「父が強引に進めた結納が済めば、いくら私が嫌だと言っても、もうあなたとは一緒になれない。だから私は結納を目の前にして、家を飛び出した……長い間、ずっと待ち続けた。たった半刻(はんとき)が一年にも二年にも感じられた」

「けれど、私を迎えに来たのは……あなたではなく、父だった……あなたは裏切った。父の言いなりになったんだ。そう思った」

加納の顔にも後悔と自責の念が溢(あふ)れている。

「果奈……」

「……」

「だから私は、父の姿を見たとき、ひとりで逃げたんだよ……私を捨てたあなたを、心の奥で恨みながらね……」

果奈はそこまで話すと、ゆっくりと立ち上がり、深々と頭を下げて、

「──私は大丈夫です……幻蔵には自らお縄になるよう言いますから……もっとも私の言うことを聞いてくれるかどうかは分かりませんが……会えてよかった」

と部屋から出て行った。

「引き留めなくていいんですか、加納さん……」

桜が言うと、加納は項垂(うなだ)れたまま、何も言わなかった。

追えば捕縛しなくてはならなくなる。それもできないと、加納は思っているのであろう。桜はその心中を察しながらも、

「旦那はいつも愚痴と言い訳ばかりだけど、イザとなったら、やっぱり意気地がないんだねえ……情けないったらありゃしない」

「……」

「もし、刑場に行く身としても、本当のことを伝えることの方が、果奈さんのためになると思うんですけれどねえ」

サッと桜も立ち上がると、部屋から出て行くのだった。

七

旅籠の表に出ると、雲がすっかり晴れて、まん丸い月がポッカリと浮かんでいた。

果奈が首を折るようにして見上げている。

海風がそよいできて、乱れた後れ毛を揺らしていた。

その横に、後から来た桜が立つと、果奈は何気なく、呟いた。

「あの夜も、こんな綺麗な月だったんですよ……だから、きっとこの先、良いことがある。そう思ってたんだけどねえ……」

「同じ月を見ながら、加納さんも吾妻橋まで向かってたはずなんだけれど」

桜が静かに言うと、果奈は振り向いた。

「えっ……」

「私、見てたんです……あの夜はね、盗賊が出たんだ」

「……」

「鬼灯の幻蔵かどうかは知らないけれど、浅草御蔵の札差の蔵が破られてね……折悪しく、海風が強くて、火事まで起こったからね。町家からも猛火が出て、町火消したちも出てきて大変だった」

「そういえば、半鐘が鳴っていたような……」

「加納さんは同心になって、まだ一年そこそこだったから、盗人の事件に駆り出されて必死に探していた」

町火消したちが燃え盛る炎を目の前にして、怒号を交えながら必死に消火をしている中、加納と半次は他の同心や捕り方たちとともに懸命に逃げた盗賊を追っていた。

当時の火消しといえば、延焼を防ぐために柱を倒し、梁を落として燃え広がらないようにするのが手段だ。それを行う町火消しの身が危ない。それでも、懸命に働いていた。盗賊はそんな様子を暗がりの中から窺いながら、逃げていたに違いない。いや、付け火をしたのは盗賊一味ではないかという疑いすらあった。

「だから、加納さんも必死だったの……そんなとき、飛び火を受けた長屋の奥で、身動きできない男の子の姿を見つけた……加納さんはなんのためらいもなく、炎の中に飛び込んで、『ぼうず、しっかりしろ！』と声をかけながら抱き上げると、そのまま裏手まで走り抜けたの」

その瞬間、燃え盛る屋根が崩れ落ちて、子供は九死に一生を得たが、加納の方は倒れてきた柱で頭を打って、そのまま昏倒した。

「ええっ……⁉」

果奈は驚愕の顔で聞いていた。

「すぐに医者に運ばれたわ……そして手当てをされたけれど、気がついたのは明け方だった……その間に盗賊は姿を消し、火事もすっかり収まってた」

「……」

「でもね、加納さんは医者の止めるのを振り払って、何処かに駆け出したの……」

まだ怪我の血や煤だらけの加納が、吾妻橋に駆けつけてきたときには、そこで待っているはずの果奈の姿はなかった。

「加納さんはふらふらと何度も橋の周辺や東詰めの方まで探したけれど、あなたは何処にもいなかったの」

「……」

「そのときにはもう、お父っつぁんの姿を見たから、逃げてたのよね……運命のいたずらなのかしら……でも、信じてあげて。あなたを裏切ったり、捨てたりしたのではないと」

愕然となって聞いている果奈の目には、満月が歪んで見えてきた。

「――でも、どうして、あなたが……」

ふたりで海辺の方へ歩きながら、桜は話した。

「幻蔵からは聞いてないようだけれど、さっき私が二代目・歌麿の娘だと名乗ったときに、形相が変わったでしょ」

「……」

「ここからは誰にも内緒よ。加納さんも知らないことなの……絵師の二代目・歌麿は義侠心から、悪い奴らを密(ひそ)かに懲らしめてたの。そのことを遠山様……北町奉行の遠山左衛門尉様に知られてしまって、それからは逆に手を貸すようになったの。悪党退治のね」

果奈は信じられないという顔で聞いていた。

「だから幻蔵とも多少の因縁はあったの……でも、父も死んでしまった。私たち娘三人はいつしか父と同じようなことをしてた」

「……」

「でも、誤解しないでね。遠山様と手を組んでるわけではなく、向こうも私たちのことをそう確信しているわけではないの……もちろん〝紅殻小僧〟が私たちってこともね」

「あの……べ、〝紅殻小僧〟……！」

「知ってたの？」

「詳しくは知らないけれど、こいつに目を付けられるくらいなら、お縄になった方がマシだとかいう奴も……」

「ふうん。そうなの……そう思う奴は、自分が万死に値する阿漕なことをしていると、百も承知で悪さをしてるってわけだね……抜き差しならぬことで、仕方なく罪を犯した者とは人間が違うのよ」

「……」

「何万回、六道を輪廻しても人間界には戻って来られないわね」

ふと振り向くと、旅籠の表に加納が立っているのが見えた。心配そうな顔が、月明かりにクッキリ浮かんでいる。その姿を見て、桜がぽつりと言った。

「もし、あの朝……加納さんが探していたのがあなただと知っていれば、私も探したんだけどね……あの人、ずっと何も言わなかったし、話されたこともないの」

桜はそっと果奈の背中を押して、

「済んでしまったことはどうしようもない。でも、これからのことなら……」

と声をかけた。

ふらふらと果奈は加納の方に近づき、そっと凭れかかりながら、

「ごめんね、私のために……」

と呟いた。

「会えてよかった……」

「私も……」

甘えるような果奈を、加納は微笑んで抱き寄せ、旅籠の中に消えるのだった。

桜も安堵したように見つめていた。


だが、その翌朝早く——。

葛西の町外れにある旅籠の前に、急ぎ足で来た果奈の姿があった。辺りを見廻してから、中に入ろうとすると、旅籠の横手から、ふらりと人影が立った。

アッと息を呑んで見ると、幻蔵だった。

「おまえさん……無事だったんだね。ああ、よかったあ」

「うむ。おまえもな」

微笑む幻蔵に、果奈はなんのためらいもなく駆け寄りながら、

「私を信じて、待ってくれてたんだねえ」

と鼻腔にかかる声をかけた。幻蔵も両手を広げて、

「心配したぜ。さあ、一緒に行こう」

近くの川の船着き場を指すと、そこには川船がある。筵が被されているのは、三つ

の千両箱であろう。

「伊平の奴も途中で捕まったようだが、これからは夫婦旅だ。たっぷり楽しもうな」

　果奈の手を取って川船に乗せようとした途端、幻蔵はその背中をグサリと刺した。ウッと苦痛に歪んだ顔で振り返った果奈は、

「お、おまえさん……ど、どうして……」

「おまえには色々と苦労をかけたからな、ここらで楽をさせてやろうと思ってよ……三途(さんず)の川を渡って、心置きなく成仏しな」

　と幻蔵が蹴倒すと、果奈は仰向けに川船の上に倒れた。必死に縋ろうとする果奈の手が筵を摑んだ。ずり落ちた筵の下には、ただのガラクタがあっただけである。

「――う、嘘よね……これは、嘘よね……」

　まだ信じられないという涙顔で、手を伸ばす果奈を見下ろしながら、幻蔵は川船の縁(へり)を思い切り蹴った。

　川船は揺れながら流れのある方へ向かうと、そのまま押し流されていく。

「ふん。情けが仇(あだ)……にされちまうところだったぜ」

　幻蔵は背中を向けて、どんどん逆の方へ駆け去っていった。

　流れる川船からは、葦原しか見えない。

　倒れたままの果奈は、妙に明るい空を見上げながら、

「ご……ごめんね、福之介さん……私……あの橋には……も、戻れなかった……」

と呟いて、ゆっくりと目を閉じた。

その数刻後――。

別の川船に乗った幻蔵が、千両箱の上に腰掛けて煙管をくゆらせていた。もはや誰も信じることができないのか、船頭はおらず自分で船を漕いでいた。

「さてと……船橋辺りで、いい女を見繕って、久しぶりにドンチャン騒ぎといくか」

と溜息をついたとき、近くの川辺に寄せている女郎船があった。頬被りをしていた女郎が小粋な感じで、

「兄さん。ちょいと遊んでいかないかえ」

と鈴のような声をかけた。

「こちとら安女郎は御免でな。だが、ご祝儀だ。美味いものでも食うがいいぜ」

幻蔵は懐から小判一枚を出して、女郎に放り投げた。受け取った女郎は、

「うわあ。こりゃ、ありがたい……兄さん、金持ちには見えないけど、羽振りが良さそうだねえ。惚れちまうよう」

と頬被りを取ると――梅だった。

幻蔵は一瞬、目を凝らしたが、二度見してから、

「おまえは！」

と身を乗り出すように見つめた。

慌てて漕ぎ出そうとしたが、手にした櫂に縄が飛来して、幻蔵の腕ごと絡みついた。同時に、舳先にも縄が飛来して鉤が掛かり、行く手を塞がれた。

「てめえ、なんの真似だ！」

幻蔵が叫ぶと、梅は冷徹な顔に変わっており、

「千両箱を取り返しに来ただけだよ。でもさ、盗んだ物を返したからって、罪は消えないよ。分かってる？」

と握っている縄を引いた。

「──うるせえッ」

匕首を使って幻蔵は縄を切ろうとしたが、川船の上で均衡を失った。そのまま川船が傾いて、幻蔵は川に転落したが、足に縄が絡みつき、おまけにその縄が千両箱のひとつを巻き込み、一緒に落ちた。

「あぶ……あぶぶぶ……！」

幻蔵は必死に浮かび上がろうとしたが、千両箱が重石となって、すうっと沈んでいく。必死に藻搔いているが、そのまま川底に消えてしまった。

「三途の渡し賃は六文と決まってる……そんなに持っていっても、閻魔様は許しちゃくれないかもしれないねえ……」

梅は冷ややかな目で見るだけで、自業自得だと助けようとはしなかった。

その後、千両箱も含めて引き上げられ、幻蔵が溺死したことが、北町奉行所の遠山に報告されたが、むろんその場に梅がいたことは、誰も知らない。

果奈は幸い川漁師に見つけられ、死なずには済んだが、幻蔵の女だったことを、北町奉行所のお白洲（しらす）で白状し、終生遠島と決まった。

加納と最初で最後の夜を過ごした果奈が、本気で幻蔵のもとに帰ったのか、加納と一緒にいると迷惑をかけると思ったのかは分からない。果奈は、お白洲で加納とのことは一切、語らなかったし、二代目・歌麿の娘たちのことも口にしなかった。

改めて加納は、果奈の素性と自分との関わりを町奉行に伝えて、減刑を嘆願したが、

「果奈はおまえのことはまったく知らぬと申しておる」

と遠山は言うだけであった。

それから、しばらくの間、加納は奉行所には出仕せず、『おたふく』にも顔を出すことはなかった。

第四話　盗賊の娘

一

月もない夜、人びとが寝静まっている街路を突風が土埃を舞い上げた。その屋根の上には、三つの影がある。

その影は夜空に舞い上がると、大通りの屋根と屋根の間を、黒い怪鳥のように次々と跳び移っていく。まさに人間業とは思えぬ素早さで、ひらりと舞い降りたのは、江戸で指折りの両替商『喜国屋（きこくや）』の中庭だった。

三つの影は足音も立てずに、母屋に向かった。雨戸がしっかり閉まっているが、小さな鏝（こて）のようなもので、雨戸の下をわずかにずらすと、これまた音を立てずにすんなりと開いた。その内側の障子戸ももの音ひとつ立てずに開けて、中に押し入った。

すると——廊下から、まだ起きていたのか、番頭らしき男が来て「ひっ」と声を上げそうになったが、次の瞬間に昏倒するようにその場に崩れた。三つの影のうち、ひとつが背後から眠り薬を嗅がせたのだ。

同時に、もうひとりが円筒を座敷に置くと、煙草の紫煙のようなものが広がり、店内一面に広がっていく。部屋に寝ていたが気配に目覚めかけた手代や女中、そして主人夫婦らはみんな大鼾を立てて眠り続けた。

店内の帳場には、忍びのような装束の人影が入ってきて、手文庫から鍵束を取り出すなり、悠然と奥の蔵の方へ向かうのだった。

その黒覆面の中の顔は——切れ長で美しい目の女であった。立ち去った後の帳場には、ひらりと一枚、『紅殻小僧』とだけ書かれた紙が舞い落ちた。


翌朝——。

すっかり日が昇って煌めき、天秤棒担ぎの行商人たちが出歩く中を、加納福之介と半次が突っ走っていた。

前のめりになる勢いで駆け込んできたのは、『喜国屋』である。そこには、中年の主人夫婦や番頭、手代、女中らが揃っており、いずれもがおろおろしていた。

加納は〝鬼灯の幻蔵〟一味の事件以来、しばらく廃人のように落ち込んでいたが、近頃はこそ泥程度の事件でも、真っ先に駆けつけて徹底した探索に力を入れていた。被害に遭った方はもとより、盗人一味の中に別の事件があることを体で学んだからだ。盗人を捕縛するのはもちろんだが、盗人一味から、いいように利用されている哀れな人間を救いたい思いもあったからだ。

「盗(と)られたのは金だけか！」

乗り込んで来るなり加納は、大声で商家の者たちに訊いた。悲惨な事件に遭遇したばかりだから、みんな恐ろしくて震えているが、主人は必死に答えた。

「命までは、誰ひとり取られなかったのだな」

気遣うように一同を見てから、加納が改めて訊くと、主人は、

「は、はい。そうです……どうやら、みんな眠らされていたようでした。蔵から、千両箱がひとつ、消えてました」

「ひとつ……だけか」

「はい……」

「何万両もありそうな『喜国屋』から盗んだのは、たったひとつ」

加納は妙な塩梅だとばかりに首を傾げたが、主人は申し訳なさそうに、

「蔵にあるのは、他人様から預かっているお金でございます。たとえ一両でも、大変なことでございます」

「分かっている。だが、やり口が大袈裟(おおげさ)な割には少ない……と思ってな」

「そして、こんなものが落ちてました」

番頭が差し出したのは『紅殼小僧』という書き置きだった。以前にも見たことがある。他にも盗人というものは、手柄を自慢したいのか、なんらかの痕跡を残すものだ。だが、それは絶対に見つからないという自信でもあろう。

「――紅殼小僧か……義賊を気取っているが、盗みは盗み。この一月ですでに三軒……とはいえ、誰ひとり殺すどころか怪我もさせず、店の中を荒らすこともなく、疾風(はやて)のように現れて疾風のように去って行く。その鮮やかな蔵破りの手口は、まさに神業だ……」

まるで講釈師のように話す加納を、半次は横合いから突(つつ)いて、

「旦那。感心している場合じゃありやせんぜ」

「だが、そのとおりじゃないか。謎の怪盗と言ってもよい紅殼小僧に、かの名奉行の遠山様ですら切歯扼腕(やくわん)するのみで打つ手なしだ」

腕組みで店内を見廻す加納に、

「いえ、これは紅殼小僧の仕業ではありやせんぜ」

と半次は自信たっぷりに言い返した。

「なんで、そう思う」

「家人が起きないように、眠らされてるからです」

「えっ？　だって、その方が盗み働きをし易(やす)いではないか」

「そりゃ、そのとおりですが、紅殻小僧らしからぬやり方です」

「おまえに何が分かるってんだ」

半蔵は廊下に落ちていた竹筒を拾って見せながら、

「少し嗅いでみて下さい、旦那……」

と言われて、加納は鼻を近づけてみるが、

「なにも臭わぬ……でも、なんだか急に眠気が……」

少し体がぐらつく加納を、同行していた下っ引たちが支えた。

「これは恐らく南蛮渡りの阿片由来のものだと思われます。ご覧のとおり、無味無臭。店の者たちは、浴びた瞬間に急に睡魔に襲われ、そのまま朝まで眠りこけている間に、盗賊一味は悠々と盗みを済ませることができる」

「へえ……」

「まあ、ちょっとした火薬としても使える代物で、もしかしたら万一のときのために短筒でも持ってたかもしれやせん」

「――おまえ、なんでも知ってるのだな」

感心した目で見る加納に、真顔のまま半次は答えた。

「旦那が知らなすぎるんです。少しは学んで下せえ。それより……こんな眠り薬を使って盗みをするってことは、その気になったら、どんな所にでも忍び込めるってことです」

「どんな所でも……例えば何処だ」

「――千代田の御城とか」

「おまえ、無礼なことを言うなッ」

「これら三軒で盗まれたのは、いずれも千両程度のこと。もしかしたら、何か大事を起こす前の稽古かもしれやせんぜ」

「まさか……」

半信半疑で聞いている加納は、とにかく他に痕跡がないか丹念に調べることにした。

押し入った盗人の足跡もなければ、『紅殻小僧』の紙と竹筒以外に手がかりになるものは何もない。足跡なども消し去ったのか、残されていなかった。

店の者たちが朝起きたときには、雨戸もすべて閉まっていたので、実は何処から入ったかも分かっていない。鍵束も帳場にあったし、蔵の扉も異常なかったから、盗人に入られたことすら初めは誰も気付かなかった。

だが、いつも起きるべき刻限に誰も起きず、みんなが寝坊したことを、主人たちは不思議に思った。慌てて雨戸や店の表戸を開けたり、朝餉の支度などを始めようとしたとき、番頭が帳場の『紅殻小僧』と書かれた紙を見つけ、手代は廊下の片隅にあった竹筒を拾ったのだった。

　主人はもしやと思い、すぐに蔵を開けてみた。似たような事件を瓦版で読んでいたからだ。案の定、手前に置いていた千両箱がひとつ盗まれていた。

「竹筒をあえて残したのは、少しでも吸うと眠気を誘うから捨てていくしかなかったんでやしょう。そして、この紙は『紅殻小僧』の仕業にしたいだけ……だと、あっしは思いやすがね」

　半次が確信に満ちた顔で言ったのには、少しばかり訳がある。

「あれはもう五年以上前になりやすか……旦那がまだ学問所に行っていた頃ですが、江戸を跳梁跋扈していた盗賊に〝五人白浪〟てのがおりやした」

　後に、河竹黙阿弥が『白浪五人男』という歌舞伎を書いた。その日本駄右衛門のモデルが、享保年間の大盗賊・日本左衛門である。かの「盗みはすれども非道はせず」の名言を吐いたことで有名だ。『白浪五人男』の登場人物・南郷力丸、赤星十三郎、忠信利平にもそれぞれモデルがいたが、弁天小僧菊之助だけは河竹黙阿弥の創作だという。しかし、弁天小僧も実は、三代目・歌川豊国の浮世絵から想を得たと言われている。

　かつて、〝五人白浪〟は義賊として知られていた。

「ところが、この〝五人白浪〟は、あろうことか、江戸城中の御金蔵を狙ったことがあるんでさ。しかも、天守下にある非常時用の奥御金蔵ではなく、普段使いをする蓮池御金蔵を狙ったんですよ」

「どうしてだ。どっちでも構わないだろうが」

「いえ、奥御金蔵は天守台の石垣内にあって、四方を二間の高さの石垣で囲まれた頑強な穴蔵ですよ。しかも、軍用金のために貯えられているもんですから、小判じゃなくて、分銅形に鋳造された金銀がほとんどでさ。嘘か本当か五百万両分もあるとか」

「……」

「頑丈さでは、本丸の蓮池御門内にある蓮池御金蔵も同じで、三重の銅扉に鉄格子の付いた箱開きという頑丈で堅牢な所。その中は預かり方とか支払い方とか、保管方とか四棟の金蔵があるらしい。そこには帳簿類も沢山置かれてる。つまり、普段使いの小判や一朱金が置かれてるから、盗んだ金をそのまま使うことができる」

「……」

「とはいえ、御城の御金蔵にあるのは千両箱じゃなくて、二千両箱。重さも倍以上あるから、到底、ひとりじゃ担ぐこともできねえ。なんらかの運ぶ細工をしなきゃいけねえが……考えたのが、蓮池櫓から壕を越える綱渡りをさせる仕組みでさ。丁度、谷を跨ぐ材木の運搬板のような」

　半次は手ぶりを交えて熱心に話し続けた。

「ですがね……その綱が途中で切れて、落ちてしまい、盗人も一緒に壕に転落。壕の石垣を登ろうとした仲間も次々と捕まった。そのときは一旦、みんな逃げたのだが……」

「逃げた……」

「へえ。ですが、その一月後くらいに、三島宿でつまらない喧嘩に巻き込まれたことで、頭領の日本左衛門以下みんな捕まってしまい、江戸に送られた上で、鈴ケ森で処刑となったんでさ」

「……」

「そのとき、女装しては騙りなんぞをしていた奴だけは、どこぞに隠れていたのか、プッツリと姿を消しやしたが」

半次がそこまで話したとき、加納はまじまじと見て、

「おまえ、なんで江戸城の御金蔵のことや、その盗賊一味のことに詳しいんだ……まさか、仲間だったんじゃあるまいな」

と訝しげな目になった。

「まさか。〝五人白浪〟の仲間なら、安い手当てで危ねえ十手持ちなんざしてやせんよ。盗みの手口の話をしてんでさ」

「手口……」

「あんなに大勢の役人が、幾重にも見張っている江戸城の御金蔵ですぜ……そのとき、

〝五人白浪〟が使ったのは、『喜国屋』での眠り薬の煙と同じでやしょ。つまり……」

「つまり、御金蔵破りをした盗賊の残党とでもいうのか」

「まだ臆測に過ぎやせんがね」

「ならば、この店に押し入った奴を捕縛しなければならないではないか」

「当たり前でやす。旦那。なんだか全身がザワザワしてきやしたね」

半次は鼓舞したが、なぜか加納は尻込みするのだった。

二

江戸で指折りの両替商に、義賊としての誉れの高い紅殻小僧が盗みに入ったということによって、読売も飛ぶように売れていた。

水茶屋『おたふく』の客たちの間でも、その話で持ちきりだったが、桜・梅・竹の三姉妹にとっては複雑な思いだった。なぜならば、この三人娘の仕業ではないからだ。

それでも客たちは妙に盛り上がっている。押し込みを働いては人殺しまでする輩がいる暗い世の中だから、知らない間に盗む掏摸（すり）のような鮮やかな手口が庶民受けするのであろう。

「だってよ、入られた両替商は、つまりは高利貸しだ。人の金で稼いでいるようなものから、千両くらい盗ったたって、どうってことないだろうよ」

「しかも、誰ひとり傷つけてない」

「金がわんさか唸(うな)っている所から、ほんのお零れを頂いただけ。江戸っ子が喝采するのも無理はねえってこった」

「これで貧しい長屋にでも小判をばらまけばいいのだが、まだそんな話は出てねぇな」

「とはいっても押し込まれた方にしてみなよ。紅殻小僧に入られたたってことは、『この店は阿漕なことをしてる』って睨まれた証(あかし)だから、面白くないだろうぜ」

「やはり、あの店も悪いんだ」

などと好き勝手なことを話している客たちを横目に、桜と梅は溜息をついた。

「――妙だわよねえ……どうして、私たちの名を騙るのかしら」

梅がボソッと言うと、その唇に桜が指を押しつけて、

「よしなさい。誰が聞いているか……」

「もし聞かれても、信じてくれないわよ。それより、偽者を捕まえて、お仕置きしてやらないと気が済まないわね」

「お仕置きなんて……」

「それとも、紅殻小僧のまま捕縛して貰って、刑場送りにして貰いましょうか」

と梅の顔が厳しくなったとき、ちょっと店を出ていた竹が戻って来て、やはりあちこちで紅殻小僧の噂ばかりだと話した。

「でね、浅草奥山の芝居小屋で、『怪盗、紅殻小僧推参』ってお芝居をやるんだって」

竹が言うと、桜と梅は驚いて、

「何処でだい。もしかして歌舞伎になるのかい」

「まさか。今、上方から来ている女歌舞伎・楊貴妃一座の興行でだよ」

「女歌舞伎って……御府内では御法度のはずだけどねえ」

桜が訊くと、竹は頷いて、

「そう称してるだけで、座員はみんな男。いつも主役をやる楊貴妃も、実は男だからね。すんごく綺麗だけれど、女形。まさに清国で一番美しかったという楊貴妃みたいに」

「そうなの……？」

「どんな話か知らないけれど、座員には手妻師や軽業師も沢山いて、お芝居をしながら歌ったり踊ったりして、そりゃ華やかで賑やからしいわよ。私、ぜったい観に行くもんね……ああ、楊貴妃様ア」

うっとりする竹に水を差すように、梅は額をペタリと叩き、

「どうせ厚化粧の下は、むさ苦しい男だよ。なのに、竹のようなお馬鹿な娘たちが目

をキラキラさせて群がるんだ。ああ、気持ち悪いったらありゃしない」

「梅姉ちゃんて、ほんと夢のない女なんだね。可哀想に……」

「――あ、そうかッ」

　梅は手を叩いて、桜に向かって言った。

「もしかしたら、楊貴妃一座ってのが、私たちの名を騙る盗賊一味かもしれないよ。旅芸人一座がそういうことして、諸国を巡るって話はよくあるもの」

「まさか……だったら、疑われるような演目なんてしないわよ」

「その方が身を守れるってこともある。竹……あんたの出番かもしれないねえ」

　意味ありげに微笑む梅を、竹はあどけない顔で、何事かと見ていた。

　翌日――。

　早速、楊貴妃一座の初日の芝居を観に行った三姉妹は、満員御礼の盛況の中で繰り広げられる華麗で派手な上に、物凄い熱気の芝居に打ちのめされた。

　芝居というよりは、歌舞伎のような艶やかな見栄えに加えて、目が廻るような宙づりや曲芸が人間業とは思えないほど凄いからだ。拍手と歓声が湧き起こったかと思うと、均衡を保ったままの綱渡りや、人が空中を飛び交う芸には、緊張のあまり芝居小屋の中は深閑となる。

　さらには奇術のような手妻を見せながら話が展開し、眩しいばかりの光が交錯する中で、激しい立ち廻りまで行われる。物語は一瞬の隙もないまま終盤に至り——悪党に攫われていた姫君を助け出したのだが、捕らえられていた姫君は妖術をかけられ、白髪の老婆に変えられていた。

その老婆は、大きな半透明の玉の中に閉じ込められており、そこから出すことはできないという。しかも、長い槍で玉を刺すと、中の老婆の体を突き抜け、穂先は反対側から突き出てくる。

本当に刺されたのではないかと、観客たちからは悲鳴が上がる。唐服を着た閻魔大王のような姿をした悪党の頭領が、舞台の中央奥に現れると、客席に恐怖の声が広がった。

「——さて、おたちあい……」

閻魔大王が獣のような声を発した。

「この玉には、摩訶不思議な秘法によって、姫を閉じ込めておる。もし、この儂を倒すことができれば、老婆は二十数年の歳月を遡り、拐かされたときのままの美しい姫に戻るであろう」

おおっと歓声が上がると、閻魔大王は法冠を揺すり、手にした笏を振り廻しながら、威厳のある所作で客席を睨み、

「さあ、この中に、儂と戦うことができる奴がおるか。この儂を倒すことができる者

がおるか。おるならば出て参れ」

　と挑発するように言うと、観客たちはまるで本物の閻魔大王に萎縮するように俯き、黙りこくってしまった。

「ならば、この老婆は永遠にこのままじゃ。フハハハ。臆病者どもめが！」

　さらに閻魔大王が怒声を張り上げたとき、

「私が相手になってやるよ！」

　と思わず梅が立ち上がった。すぐ桜と竹が袖を引っ張って、

「お芝居だよ。なにしてるのよ」

　と言ったが、観客の誰かが水茶屋『おたふく』の娘だと気付いて、

「よっ！　梅ちゃん！　待ってました！」

　掛け声が飛んで来た。

　それで調子に乗ったわけではなく、もともと観客から退治役が出てきて、それを追っ払ったときに、正義の味方が出てくる――という趣向のようだった。

　梅は構わずひらりと花道に飛び上がり、一目散に舞台奥に立っている閻魔大王に向かうと、軽業師たちよりも身軽に跳んで、閻魔大王を蹴ろうとした。

　しかし、一瞬を見切って避けた閻魔大王は、とっさに笏を振り廻して、梅を叩こうとした。ブンと空を切る勢いに、相手も本気だということを、梅は察した。すぐさま

しゃがみ込んで足払いをかけると、閻魔大王はズテンと大きな音を立てて倒れてしまった。

次の瞬間、太鼓や花火のような音が連発して、半透明の玉の中に濛々とした白煙が広がった。白煙が薄れると――そこには老婆はおらず、唐風の衣装を着た妖艶な美女が立っている。一瞬の早変わりであった。

「うわあ！　こりゃ、凄え！」

息を呑む観客たちの前で、美女が自ら玉をパンと炸裂させて、すらりとした肢体を惜しみなく晒しながら現れた。微笑みながら、やはり唐風の扇子を振り廻すと、次々と赤い花が現れて客席に飛んでくる。

驚く観客たちは、やんやの歓声と拍手をしながら、舞い散る花に手を伸ばした。

「座長の楊貴妃でございます。まだまだ続きがございますれば、お楽しみ下され」

楊貴妃がニッコリと微笑むと、舞台袖に立っていた梅が、いつの間にか壁に磔にされていた。

「――なんの真似だい……」

梅は真剣に不安な顔になっている。

微笑み顔の楊貴妃は、芝居がかった声で、

「おまえが閻魔大王を倒してくれたお陰で、私は救われ若返った。お礼を受け取っておくれ、さあさあ」

と言いながら、腰に巻いていた数本の短刀を梅を目がけて投げた。すると、短刀は梅の顔の横や脇の下など、矢継ぎ早に突き立った。その早業に、観客は沸き上がるが、さらに楊貴妃が客席の天井にあったクス玉を目がけて投げると、パカッと割れて金色の紙吹雪がハラハラと舞い散るのであった。

同時に、楊貴妃は自分が持っていた扇子を宙に投げた。それが、ひらひら飛んできて、桜の袖の間に舞い落ちた。

そんな様子を——客席の片隅から、いかにも豪商風の中年男が見ていた。

桜はその顔に覚えがあり、気になっているようだった。豪商風は舞台を楽しむというよりも、舞台の出来を見守っているという様子であったからだ。

派手で豪勢な舞台の片隅の壁には、まだ梅が張り付けられたままだった。

三

「いやあ、見事なものですねえ。あっしも弟子入りしたくなったくれいです」

舞台の隅っこで見ていたという新八も、店の支度をしながら、いたく感動していた。

桜は「大袈裟ねえ」と笑いながら、

「でも、どうせなら、新八さんにやって貰うんでしたねえ。竹にはちょっと荷が重すぎたかもしれないわ」

と少し心配顔になった。

竹は、楊貴妃という〝女形〟の贔屓（ひいき）になって、一座につきまとうという役どころで、近づかせることにしたのだ。もちろん、梅が陰ながら支援するが、竹は本気で楊貴妃のことが好きらしいので、墓穴を掘るかもしれない。桜たちはそれが気懸かりだったのだ。

「大丈夫です。あっしも様子を窺いやすから……それに竹ちゃんはあれで結構、冷静な面がありやすからね。楊貴妃の色気に肝っ玉を吸い取られるようなことはないと思いますぜ」

「そうかしら……」

「ええ。逆に、桜さんのような真面目な人の方が、あの座長に心をやられてしまうかもしれやせんぜ、へへ」

「まさか。私は氷のような女だと、誰もに言われてますけど」

雑談をしていると、ふいに羽織姿の立派な体軀（たいく）の男が入ってきた。先程、芝居小屋で見かけた豪商風だと、桜はすぐに気付いて、

「いらっしゃいませ。ですが、まだ……」

と断ろうとした。が、豪商風の方が意外なほど穏やかな表情で、

「ええ、分かっております。この『おたふく』は大層評判の水茶屋と聞きましてな。浅草観音を拝んだついでにと、ちょいとばかり覗きたくなりまして」

「そうでしたか……では、お酒くらいならお出しできますので、どうぞ」

桜が店の奥に招くと、豪商風は店舗の中を値踏みでもするように見廻しながら、

「水茶屋というより、ちょっとした料亭のような雰囲気がありますな」

「ありがとうございます。お客様には堅苦しくなく、とはいっても安っぽくない感じで、落ち着いて頂くのが信条ですので」

「なるほど、なるほど……」

感服するように頷いてから、桜を振り向いて、

「あなたが女将の桜さんですか。先程、近くの席においでだった」

「あら……実は私も気付いておりましたの」

「そうでしたか。いや、これは失敬……さっきの舞台で、閻魔大王に果敢に立ち向かったのは、この店の梅さんだと他の客から聞いたもので、ますます興味を抱いたのです」

「梅は子供の頃から男勝りで、すぐに調子に乗るので、舞台を台無しにするのかとヒヤヒヤしておりました」

「いやいや。それが一座の狙い。客とひとつになって楽しむという楊貴妃一座の、それこそ信条でありますれば、大歓迎です」

「一座のこと、詳しゅうございますねえ」

桜が訊くと、豪商風は恐縮したように頭を下げて、

「後になりましたが、私は鉄砲洲に店を構える廻船問屋の『長崎屋』の主で、京左衛門という者でございます」

と名乗った。

廻船問屋『長崎屋』というのは聞いたことはあるが、直接には縁のない桜には、遠い所にある大店という感じがした。もっとも物腰は低くても、見るからに大店の主人のような雰囲気を、京左衛門は醸し出している。

「実はってほどではありませんが、私は楊貴妃一座の後ろ盾を担っておるのです」

「え、そうでしたか……」

舞台を楽しむというより、見守っている顔つきだったことに、桜は納得した。

「まさか、本当の楊貴妃ではありませんよね。清国から来た人たちだとか」

桜が素直に問いかけると、

「まさか……ただの田舎者です。長崎の沖合にある小さな村の出の者がほとんどで、あまりに貧しいので、長崎辺りで一座を組んで旅芸人をしていたのです」

と京左衛門は事情を説明した。

「旅芸人……」

「肥前の平戸にはその昔、倭寇の頭目が住んでいたという噂もありまして、それで唐の国を思わせる出し物が多いのです」

倭寇とは日本人に限らず、東南アジアの雑多な人種が入り交じった、いわば海賊行為も辞さない密輸集団であった。

戦国時代には、王直という中国人が頭領となって、日本の五島列島を拠点として活動していたという。かの鉄砲伝来にも関わっていると言われている。時の肥前の領主・松浦隆信に招かれて、平戸に居住し、中国やポルトガルの船が出入りする賑わいだったらしい。配下が二千人もいたというが、楊貴妃一座の者たちはその子分たちの末裔だとのことだ。

「さようでしたか……」

桜が驚いて聞いていると、京左衛門は当たり前のように続けて、

「私は商売柄、長崎にも出向くことがありましてね、そこで見かけたのが楊貴妃一座……要七は類い希な美貌の持ち主だし、芝居心もある。だから、なんとかしてやりたいと思いましてね」

「要七……？」

「はは。楊貴妃の本当の名です。貧乏漁師の七男坊らしいですがね、私が初めて名前を聞いたとき、〝ようしち〟というのが、〝ようきひ〟に聞こえてしまって……その顔なら一流の女形の歌舞伎役者に負けないと褒めて、女の役ばかりさせてみたのです」

「まあ……それで大当たりを」

「私は商売の方は分かりますが、芝居の方はまったく目利きではありません。ですから、色々な人の手を借りて……」

「そうでしたか。とても楽しゅうございました。うちの末の妹の竹もすっかり楊貴妃の虜になりまして、一座に入りたいなんて言い出してる始末です。困ったものです」

「あはは。しかし、楊貴妃一座はみんな男衆ですので、残念ながら妹さんは……」

「そうですよね……ああ、旦那様。もし宜しければ、これをご縁にまた浅草寺詣でのついでの折にでも……」

桜が誘い言葉をかけると、京左衛門の方が嬉しそうに、

「美人三姉妹との噂も聞いております。こちらこそ馴染みになるまで通い詰めたい気でおりますので、宜しくお願いします」

と穏やかに言った。

だが、桜の心中にはなぜかざわついたものがあり、

――この笑みの裏には何かある。わざわざ『おたふく』の様子を探りにきたのでは。

という思いの方が強かった。

翌日――。

江戸城の千鳥ヶ淵から、城を見上げている若者の姿があった。凛とした風貌で、羽織に着流し姿は、歌舞伎役者顔負けの見るからに恰好の良い出で立ちである。

明暦の大火以来、天守のない城ではあるが、立派な石垣に壕、九十二門といわれる城門や櫓、ぐるりと取り囲む白亜の長屋塀などは大きく、決して陥落させられそうにない威風である。江戸っ子は当たり前のように毎日、暮らしの中にあって、見上げている景色である。が、よほど物珍しいのか、若者は溜息交じりに眺めていた。

それを少し離れた所から、出商いたちに混じって、桜が見ていた。その眼差しは鋭く、獲物を狙っている様子だった。

若者は壕の周辺をグルリと時間をかけ一廻りすると、日本橋の方へ向かった。

桜はおもむろに尾けた。大勢の人びとが往来する中でも、若者の背が高く凛としている姿は、追う桜の目からも失われることはなかった。すぐ近くまで迫っても、気付かれている気配はなかった。

その先に、『廻船問屋・長崎屋』という軒看板が見えた。間口はさほど広くないので、鉄砲洲からの出店かもしれなかった。

桜がほんの少しだけ、軒看板に目を囚(とら)われた瞬間に、若者の姿は消えていた。

「⁉――」

思わず足早に進んだが、行く手には若者の姿はない。ふと路地に目をやると、赤い鳥居の稲荷(いなり)の祠(ほこら)がある。その向こうに、わずかだが人影が見えた気がした。

桜はとっさに路地に入り、奥へ向かうとそこは行き止まりになっていて、漆喰(しっくい)の塀の向こうには大店の蔵が聳(そび)えているだけだ。

「――なにか、私に御用でも？」

ふいに背後から声をかけられて、桜はハッと息を呑んで振り返った。

そこには、ずっと尾行してきた美形の若者が立っている。凝視する瞳には、どこか物寂しげで、人を寄せつけない憂いすらある。

「千鳥ヶ淵からずっと尾けてきていたようですが、何が狙いなのです」

言葉遣いは丁寧だが、まったく隙を見せない態度だった。まるで武芸者か忍びのような緊迫感も漂っている。

桜は力が抜けたように膝を崩して、

「なんだ、気付いていたのですか……たまさか見かけて、つい……だって、まさか楊貴妃様が町中(まちなか)にいるなんて、驚きでしたので」

「私のことを、どうして……？」

「お芝居、観ました。一度、会ったら絶対に忘れられない人です」

「……」

「私の妹の梅ってのが、あなたの舞台に乗り込んで、閻魔大王をやっつけました」

「ああ……あのときの……これは失礼をば。お客様でしたか」

若者——楊貴妃こと要七は納得はしたものの、それにしても執拗な尾行はただならぬことだと感じていた。

「ですが、私はこの素顔をあまり人に見せたことはありませんが」

「舞台を終えて宿に戻るときも、しつこく見張ってたのです、うふふ……それにね、うちに『長崎屋』のご主人が訪ねて下さったの……そこに出店もあるのですね」

桜がさりげなく表通りの方を指すと、要七は一緒に戻りながら、

「ええ。京左衛門さんには長崎で出会って以来、何もかもお世話になっております。江戸の、しかも浅草という芝居の中心地で披露することができて、座員一同、大喜びです」

「——これ……」

と桜は一枚の唐風の扇子を差し出して、

「あなたが最後に投げたのが、私の所に飛んで来たのです……これも不思議な縁だと思って大切に……うふ、思い過ごしですね」

「……」

「この扇子と紙吹雪が忘れられません……あなただと思って、こうして……」

大切そうに畳むと、桜は帯の間に挟んだ。

すると、要七はそっと桜の肩を抱き寄せて、少し歪んでいる簪(かんざし)を直してやりながら、

「面白いお人だ……こっちの方が心惹(ひ)かれそうだ……あなたのような美しい人なら、言い寄る殿方は数多いと思いますが」

「いいえ、まったく……」

「だとしたら、高嶺の花すぎて、近寄りがたいのでしょう」

と言いながらも、最後は少し突き放すように、

「その扇子は毎日、誰かに向かって投げているんです。旅の道中もずっとね……だから、あなたにだけ特別なものとは、決して思わないように。では、失礼をば」

要七はそう言って、表通りに出ていった。その直前、

「あの要七さん……あ、この名前も『長崎屋』さんに聞きました。また舞台を観にいっても宜しいかしら」

「ええ。お待ちしております」

「要七さんも浅草にいる間に、私どもの『おたふく』にも一度、お顔を……」

「水茶屋にはとんと興味がないので」

背を向けて先に行こうとする要七に、桜は追いかけて、

「私、水茶屋の女だと名乗りましたかしら……やはり、そういう風な女にしか見えないのですね……なんだか悲しい……」

と言った。

要七は何も答えず、男ながら艶めかしい笑みを浮かべて立ち去るのだった。

「——ふうん……私と知っていて、尾けられてたってことよね」

桜は何が嬉しいのか、恋のかけひきでも楽しむように微笑むのだった。

四

その夜——鉄砲洲の一角にある廻船問屋『長崎屋』の近くに、加納と半次、そして数人の捕り方や下っ引たちの姿があった。路地や裏手に散って、『長崎屋』を張り込んでいるのだ。

すると、黒装束が三人、何処からともなく現れて、ひらりと軽々塀を乗り越えるや蔵のある裏庭に消えた。

「来やしたぜ、旦那ッ」

半次に言われるまでもなく、加納は気付いていた。手を振って下っ引たちを裏木戸

や横手の路地に散らせると、加納は表戸の前に駆け寄って、ドンドンと激しく扉を叩いた。

「夜廻りの者だ、開けろ！」

何度か声をかけていると、覗き窓が開いて、番頭らしき男が顔を出した。

「北町奉行所・定町廻り同心、加納福之介だ。今し方、〝紅殻小僧〟と思われる賊がこの店に入った。中を改める」

「えっ、まさか……」

明らかに疑りの目を向けた番頭に、半次が顔と十手を見せて、

「駒形の半次だ。この屋敷に入ったのは、俺たちが見たところだ。まだ中にいるに違いねえ。おまえらに危害を加える前に、とっ捕まえてやる」

と言った。

番頭は半次の顔はよく知っていたのか、すぐに潜り戸を開けた。

すぐさま中に雪崩れ込んだ加納たちは、まだ何事も起こっていなそうな店内を見廻しながら、寝惚け眼の手代らに、

「火急により屋敷を改めるぞ、よいな！」

加納が切羽詰まった顔で言ったとき、悲鳴のような声が奥から聞こえた。

「なんだ——⁉」

慌てて奥に駆け込んでいくと、「蔵が破られている！」と叫ぶ声が聞こえる。駆けつけると、庭が見渡せる廊下で、寝間着姿の主人の京左衛門が手燭を片手にオロオロしていた。

加納と半次たちが、京左衛門に近づきながら、

「紅殻小僧か！」

「わ、分かりません……ですが、物音がしたので見にいってみたら……！」

京左衛門は恐々としながら、蔵の方を指した。

土蔵の錠前は外れ、扉が半分開いている。半次は京左衛門から手燭を取って、土蔵に近づき、中の様子を窺った。手燭の光が暗い土蔵内を照らして動く――そこには廻船問屋らしく、異国から届いたであろう家具調度品や洋灯、絨毯、衣服の生地などが所狭しと積み重ねられていた。

手燭の光に浮かび上がったのは、『紅殻小僧』というまだ書いたばかりと思われる紙切れが一枚だった。そして、傍らにはやはり例の眠り薬の煙幕用の竹筒が転がっていた。

半次は一瞬、口と鼻を押さえながら、

「旦那……これは……」

「うむ。幸いこの店では使い損ねたようだが、同じ手口で襲おうとしたに違いあるま

い」

「へえ……」

「盗み損ねて慌てて逃げたのかもしれぬ。だとしたら、まだ店の近くにいるはずだ。手の者たちに徹底して探させろ」

腹立たしげに加納が命じると、半次は店の表に戻っていった。

不安げに立ち尽くしていた京左衛門は、その場に座り込み、加納に向かって、

「旦那……どうして、うちに紅殻小僧が来ると分かったのです」

と不審そうに訊いた。

「奉行所に投げ文があってな。かねてより紅殻小僧捕縛には力を注いでいたのだが、今宵はこの店を狙うとな」

「なぜ、うちを……」

「それは分からぬ。これまで、かような予告めいたものはなかったが、投げ文を信じて見張っていると……黒い影が三つ現れた。まさしく紅殻小僧に違いあるまい」

加納の話に、京左衛門は暗澹たる顔になって、

「私は国元の長崎で、丁稚奉公から始めて、二十余年働いて、暖簾分けでようやく『長崎屋』を起こすことができた……悪いことなどなにひとつしていないのに、どうして狙われなきゃならないのでしょうか」

「さ、さあ。それは……」

「だって旦那、紅殻小僧は悪徳商人を狙うと聞いたことがあります。そんなことは心外です。私どもはなにひとつ……」

　世間に後ろ指さされるようなことはしていないと、京左衛門は涙ながらに語った。

加納は同情の目で見ていたが、

「義賊だのなんだのといっても、所詮は盗人……他人様の金や物を盗む輩なんぞに、一分の理も正義もあるわけがない。とにかく、何かひとつでも盗まれたものがないか、後でキチンと調べておいてくれ。今宵は手の者を店の周りに張り付けておくから、安心しろ」

　と同心らしい態度で、京左衛門の昂ぶった気を鎮めるのであった。


　翌日、加納は『長崎屋』に残されていた〝紅殻小僧〟と書かれた紙と竹筒を、北町奉行の遠山左衛門尉に見せていた。

「手がかりは、これだけか……」

　遠山はいつものように苦虫を噛み潰したような顔で、探索方を詰るように言った。

「長い間、張り込んでいた割には収穫がないな。ただ目の前で盗賊に入られ、逃がしただけではないか。で、盗まれたものは」

「五十両ばかり入った桐箱がひとつだけです。怪我人もなく、被害は少なくてよかったのですが……主人としては、紅殻小僧に狙われたというだけで、悪徳商人との悪い評判になるのではないかと心配しておりました」

「ふむ。まさにな……」

短い溜息をついて、遠山は竹筒を眺めながら、

「それにしても五十両程度の盗みなら、わざわざ蔵に押し入らずとも、帳場から盗み出してもよさそうだが」

「ですから、それは悪評を広めるためだということでは……」

「本当は裏で何か悪さをしている……とでも言いたいのかな。だが、今のところ、奉行所の調べでは、『長崎屋』に纏（まつ）わる良からぬ噂はなにもないが」

「はい。それはたしかに不思議です……」

首を傾げる加納に、竹筒を投げた遠山は鋭い目つきになって、

「自分も狙われていると見せたかった……のかもしれぬな」

と言った。

「え、どういうことでしょう……お奉行の言い草では、まるで『長崎屋』がそう仕向けたとでも言いたげですが……わざわざ、そんな悪評を流しますかね」

「さあな。狙いはまだ分からぬが、奉行所に押し込みを臭わす投げ文があった。そこ

で張っていた役人の目の前で事が起こったのに、ほとんど何事もなかった」

「ええ、まあ……」

「しかも、賊はひとりも捕まらない……もしかしたら、『長崎屋』から出てないのではないのか？　鼠一匹通さぬほど取り囲んでいたのに、妙だとは思わぬか」

遠山は明らかに、『長崎屋』自身が何か仕組んだのではないかと言いたいようだ。だが、断言はせず、紅殻小僧がやったとは思えぬと言った。

「お奉行まで、紅殻小僧の仕業ではないと……いえね、岡っ引の半次が、この前の『喜国屋』の一件も、紅殻小僧がやったことではないと確信していたから、どうしてかって……」

「ああ、そのとおり。紅殻小僧ではない。そもそも手口が違う」

投げつけた竹筒を指して、遠山は言った。

「火薬鉄砲方に調べさせたところ、『喜国屋』にあったそれは、オランダ渡りの新式眠り煙幕であろうと判明した」

「ええッ。そんなものがあるのですか」

「戦う相手が眠れば殺さずに済むし、敵が眠っている間に有利に事を為すことができるとか……戦果はともかく、咎人捕縛には使えそうな代物だな」

「ああ、そうですね……眠らせてお縄にする。こりゃ便利だ」

妙に喜ぶ加納を叱責して睨み、遠山は咎めるように、

「わざわざ予告された盗賊を取り逃がしたせいで、瓦版はまた騒ぐであろうな」

「面目ございません。なにしろ忍者や軽業師のように身軽な奴らでして」

「忍者や軽業師のように、な……」

「はい。ですから一筋縄では参りませぬ。投げ文をしたのも、お上をからかうためかもしれませぬ。捕まえられるものなら捕まえてみろってね。今頃、嘲笑ってますよ」

「ふむ……」

釈然としないとばかりに遠山が腕組みをしたとき、内与力が入ってきて、

「お奉行。たった今、長崎奉行の曾我部拓馬様がおでましになりました。突然ではございますが、宜しいでしょうか」

「おう、拓馬か。構わぬ、役宅の方へ通せ。すぐに参る」

遠山が頷くと、加納は気を利かして、自ら退散しようとした。長崎奉行の曾我部と遠山は学問所でともに学んでいた頃からの親友だということは、幕府内では有名だからだ。立ち去ろうとする加納に、

「待て……おまえに今ひとつ、命じておきたいことがある」

「はい。なんなりと」

「忍者とか軽業師ということで思い当たる節がある。今評判の楊貴妃一座だ。そやつ

らの動きを探ってみろ」

「楊貴妃一座が盗人……とでも？」

「調べてみる値打ちはある」

「でも……たしか『長崎屋』は楊貴妃一座の後ろ盾とか。その一座が『長崎屋』を狙うことなんて、ありますかね」

「分からぬから調べろと申しておる。嫌なら他の者に命ずるが……」

「あ、やります！　直ちに直ちに！」

加納は平伏すると、まるで逃げるように立ち去った。

町奉行所は表の役所と奉行の私邸である役宅に分かれている。その一室で待っている裃姿の曾我部を見て、

「おう、久しぶりだのう、拓馬」

と遠山は懐かしそうに声をかけた。拓馬と呼び捨てにされた曾我部の方も、親しみを込めた笑顔を返して手を取りながら、

「早いものだ。もう交代の時期がきた。御城の御老中に挨拶に行かねばならぬが、その前にどうしても、おまえに会いたくてな」

「おう、後でゆっくり飯でも食おう。長旅ご苦労であったな。それにしても、相変わらず元気そうだ。妻子も壮健か」

「元気も元気。倅はまだ十四だが、俺の背丈を超えてしまった」

「そうか、そうか。これからが楽しみだな」

たわいもない旧友同士の挨拶をしてから、曾我部の方が少しばかり表情を曇らせ、

「噂に聞いたが、なんとか小僧というのが出没しているそうだな」

「紅殻小僧のことか」

「ああ、そうだったか……長崎の方には未だに倭寇もどきの一団がおってな。だがなかなか正体が掴めず、ずっと俺はやられっぱなしだ。まだ捕縛できぬのかと、ご老中の水野様に叱られるのが怖い……」

「水野様を怖がるおまえではあるまいに……俺は長崎奉行を拝命したことはないが、異国との唯一の交易地、おぬしの責任は重い。特に抜け荷には厳しく対処していると思うが、時に江戸でも摘発することがある」

「うむ……長崎ではなく、船をもって薩摩や琉球でやられては、取り締まることもできぬ。厄介なのは廻船問屋よりも、諸藩の船の方だ……長崎奉行だからとて、容易に船荷を改めることができぬのでな」

「そのようだな……幕府も厳しい目を光らせているとはいえ、敵も用心深いゆえな」

遠山が危惧すると、曾我部も暗澹たる気分になったのか、

「江戸の敵を長崎ではなく、その逆の長崎の敵を江戸で……といきたいのだが、金四

郎、手を貸してくれぬか」

「む？　どういうことだ」

「詳しい話は、ご老中に挨拶をして後に……久しぶりに一献交わしながら、な」

曾我部は杯を傾ける仕草をして、昔ながらの顔で微笑むのだった。

五

浅草奥山の盛り場では、今日も楊貴妃一座の幟がはためき、観客たちが長蛇の列をなしていた。呼び込みの声も元気が良く、いつもに増して活気でどよめいていた。

楊貴妃とは語るまでもなく、中国は唐代の皇妃の名であり、称号である。玄宗皇帝が寵愛しすぎたために〝安史の乱〟というのを引き起こし、唐が滅びる結末になった。そのため、傾国の美女と呼ばれた。学問に秀でており、琵琶など楽器や舞踊の才能も豊かだったというが、美しすぎたがために自分の生涯も短かったのである。

舞台がはねた後——鏡に向かって化粧を落としていた楊貴妃は、「おや？」となった。鏡の中に、桜が映ったからである。思わず振り返った楊貴妃こと要七に、

「特別に番人に案内して頂きました。もちろん京左衛門さんにお許しも得てます」

と浅草で一番美味しい団子だと、手土産を差し出した。

「これはどうも……お気遣いなく」

少し迷惑そうに応じた要七だが、桜は微笑み顔で近づいて、

「毎日毎日、大変ですね。今日も拝見してましたが、どなたか足首を挫(くじ)いたみたいで、それでも演技を続けて、とても感心しました」

「当たり前です。私たちはいつも、運と不運という上で、危うい綱渡りをしているようなものですから」

「そうですね……楊貴妃は幸運だったのかしら、それとも不幸……」

「……」

「楊貴妃は玄宗に寵愛されたけれど、逆に安禄山(あんろくざん)という人物を養子にしたりして可愛がったために国が滅んだ……人生の罠って何処にあるか分からないものですね」

桜が曰くありげに言うと、要七の方はそれには触れず、

「あなたのような苦労知らずには、諸国を流れ流れてさすらう旅芸人の悲しみや辛さは分からないでしょうねえ」

「分かりますとも」

すぐに桜は、当然のように返答した。

「私にはふたりの妹がおりますが、二代目・歌麿という貧乏絵師の娘として育ちました。絵師なんて、まっとうな仕事とは見なされませんしね、母親はそれこそ楊貴妃の

ように美しかったけれど、病弱で早死にしました」

「……」

「苦労したといっても、あなた方の足下にも及びませんが、水茶屋如きの女に、さしたる夢もないですし……いっそのこと、大盗賊にでもなって世間をアッと言わせたいなどと空想したりするのが関の山」

「いや、大盗賊とはこれ如何に……」

「だって豪快じゃありませんか。世の中には悪いことをして、ぬくぬくと暮らしている人がごっそりいますよ」

「なんだか、桜さんらしからぬ言い草だが……」

「おや。それこそ、私のなにをご存じでしょう……？」

と言いがかりをつけそうな桜だが、我に返ったようにシナを作って、

「ごめんなさい……今日の大泥棒の芝居がまだ頭の中を巡ってるんです……どうせなるなら、紅殻小僧のような義賊にならなきゃね」

「……」

「そういえば、『長崎屋』さんに盗人が入ったそうですね。しかも紅殻小僧……どうして、あんないい商人の店に入ったのでしょう」

「さあ……義賊といっても所詮は泥棒に過ぎないってことでしょう」

「ですね。私たちの妄想……ふつうの人でも正義を振りかざす奴に限って、裏では悪さをしているものですもんね」

桜は探るような目になって、鏡の中の要七を見つめていた。だが、要七の方はさほど気にしている様子ではない。それが余計に、わざとらしく桜には感じられた。

「でも哀れなものですね……」

「え……？」

「紅殻小僧ですよ。近く奉行所に捕まるって噂が流れてますでしょ。うちには定町廻りのお役人や十手持ちも来ますのでね。ちょっと小耳に挟んで……あ、内緒ですよ」

「本当ですか……」

「この前、『長崎屋』さんに入ったでしょ。瓦版では町方の不手際を騒いでますが、どうやら奉行所は何か証拠を摑んだとか」

化粧を落としている要七の表情が、ほんの一瞬強張ったが、すぐに平然となり、

「いい気味だ。やはり盗人は割が合わないものってことだ。もし捕まったら、紅殻小僧を大悪党に仕立て直して、芝居を変えなきゃならないなあ。あはは」

「――でも……盗人の中には、やむにやまれず罪を犯す人もいるはず。決して同情はしませんがね。商売柄、なんだか悪人の気持ちも分からないでもないですよ」

「桜さんが悪人には見えないがね」

「そうですかね……できることなら、悪女になってみたいものです……玄宗や安禄山が自分を見失うほどのね」

要七は鏡の中の桜を、じっと見ていたが、その瞳が熱を帯びてきた。

そのとき、竹が急に入ってきて、

「なんです。ふたりのそのなんとも言えない、雰囲気は……桜姉ちゃん、楊貴妃さんは私の贔屓だって知ってるわよね。なんで、わざわざそうやって気を惹こうとするの」

「勘違いも甚だしいわよ、竹……私はお店に来て貰いたいだけ。焼き餅なんか焼かないで、楊貴妃さんに可愛がって貰いなさいな、ほら」

桜が押しやると、よろめいて要七の背中に凭れ掛かった竹は、恥ずかしそうに顔をくしゃくしゃにして立ち去った。

「はは……なんなの、あの娘(こ)……」

可笑しそうに笑う桜を、要七は実に胡散臭(うさん)そうに見ていた。

その夜――吾妻橋西詰めにある大川(おおかわ)沿いの料理屋に、遠山と曾我部の姿があった。

ともに大身の旗本だが、いずれも着流し姿であるから、どこにでもいる侍にしか見えなかった。もっとも立場のある身ゆえ、警護の者は料理屋の周辺を固めている。

酒を酌み交わしつつ、曾我部は「やはり江戸は落ち着く」と言いながらも、早く用件を言いたそうな態度だった。

「昔馴染みの俺たちだ。余計な遠慮はしなくてよい。話はなんだ」

遠山の方から切り出すと、個室とはいえ、曾我部は少しばかり声を落として、

「何年か前、江戸城の御金蔵破りをした輩がいるであろう。〝五人白浪〟とかふざけた名を名乗っておった……」

「うむ。この手で捕らえて処刑したが」

「しかし、ひとりだけ残っておったな……弁天小僧菊之助」

「そやつも死んだとの噂だったが」

「いや、それがな、長崎はもとより九州一円を荒らし廻っていた盗賊がいる。そいつらは、特に名乗ってはいなかったが、誰とはなしに弁天小僧と呼んでいた……どうやら、そやつは、〝五人白浪〟の頭領・日本左衛門の娘だって話なんだ」

「娘……」

「ああ。御金蔵破りの生き残りってことだ。死んでなかったんだよ」

「それで江戸の敵を長崎で……てか」

遠山が憂えた顔になると、曾我部も不安げに頷いて、

「そいつらが今度は江戸に来ている節がある。遠山……俺はどうしても、そやつらを

この手で捕縛したいのだ」

「悔しい思いをしてきたのだな。気持ちはよく分かる」

「考えてみれば、奴らに翻弄された歳月だった……できれば俺も、おまえのように江戸にてなんらかの奉行職を得て暮らしたい。いや、それは老中や若年寄が決めることゆえ、俺は多くを望むわけではないが……江戸に来ているであろう〝五人白浪〟の残党を始末したいのだ」

　必死に訴える曾我部の気持ちは、遠山には察するに余りあった。湯島の学問所でも常に一番か二番の秀才だった。芝居小屋に入り浸って、遊び人を気取っていた遠山とは正反対の生真面目な武士である。

　長崎奉行は遠国奉行とはいえ、その地位も実入りも大名並みであるから、喜んで出向く者も多い。だが、曾我部としては勘定奉行や江戸町奉行、あるいは上様直属の書院番などが、自分には相応しいと思っているのであろう。それは遠山も認めるところである。

「相分かった。町奉行として俺も全力を尽くして、おまえが追い続けている盗賊の捕縛に力添えしようではないか。その後、俺も御老中に、おまえにしかるべき職をと推挙する」

「――さすが、持つべきものは友だ。しかし、金四郎……無理はするな」

遠山に気遣いを見せる曾我部だが、心の奥では並々ならぬ出世欲があるようだった。

「して、拓馬……〝五人白浪〟の娘とやらに、心当たりでもあるのか」

「ああ。そのことよ……楊貴妃こそが、弁天小僧菊之助に違いない。客を魅了する女形の楊貴妃……」

「ええ？　だが、奴は男で、女形だと聞いてるが」

「要七と名乗っているが……実は、おりんという女で、日本左衛門の娘であることは間違いない。長年、俺が調べたことだ……女歌舞伎だと江戸に入れぬから、女形と称しているのであろう」

男と女の違いはあれど、曾我部は『長崎屋』京左衛門が桜に話したのと同じようなことを、遠山に伝えた。その上で神妙な顔になり、

「俺は、奴らこそが盗賊一味だと睨んでる」

「そうなのか……？」

「うむ。素性がすべて分かっているわけではないが、旅芸人というのは僧侶同様に諸国往来御免でもあるし、盗人稼業には打ってつけの隠れ蓑だ」

「たしかにな……だが、あれだけの人気一座だ。盗みをする理由があるのか」

遠山は疑念を抱くが、曾我部は幾つかの証拠はあると言う。

「まずは奴らが使っている眠り薬は、南蛮渡りのものだ。刃物を使わずとも労せず、

盗み働きができる」

「うむ。その竹筒なら、奉行所でも調べた」

「そうなのか？　ならば話が早い。その上で、押し入った商家から盗んだ金のうち、幾ばくかは貧しい者たちにバラまいて、義賊らしいことをする。それだけでも、庶民からは悪党呼ばわりされにくい」

「どうやら、そのようだな……だが、悪徳商人でない者も狙われた。『長崎屋』までもな」

「ところがどっこい。その『長崎屋』が裏で楊貴妃一座を操っているとしたら、どうする金四郎」

「……その噂も小耳に挟んだが、貧しい島の出の者たちを救うためにだとか」

「一座の美談を作って人心を掌握するのは、旅芸人の常套手段だ。しかも、盗賊を扱った芝居で喝采を浴びている。よもや、自分たちのことを芝居にしているとは、誰も思わないだろう。だが、それも奴らの手だ。京左衛門という奴は、したたかで恐ろしい奴なのだ」

「そうなのか……」

「おまえにしては鈍いぞ、金四郎……」

　曾我部は鼓舞するように、

「だが、名奉行・遠山左衛門尉なら、事の真相に近づいて、盗賊一味を一網打尽にしてくれようぞ。そのためなら、俺はなんでもする」

「……」

「長崎にいる間に、『長崎屋』と楊貴妃一座は一心同体だということは、篤と調べておるのだ。俺も散々、翻弄された。これ以上、奴らの思いどおりにはさせぬッ」

気迫に満ちた曾我部の態度を目の当たりにして、遠山は少しばかり私情を挟みすぎだなと感じたが、キチンと調べてみる必要はあると思った。

さらに、桜たち三姉妹の動きも、遠山はただならぬものと察していた。

六

遠山に命じられて、楊貴妃一座の動きを探っていた加納は、要七が頻繁に『長崎屋』の出店に出入りしていることを摑んでいた。普段から歌舞伎役者のような男前だが、まさか人気旅役者の楊貴妃だとは誰も気付いていない。

「――ちくしょう……桜さんともあろうお人が、あんな奴に入れ込みやがって。何処がいいんだってんだ」

加納は塀越しに中の様子を窺っていたが、側に来た半次が、

「旦那。それじゃ余計、怪しまれやすよ。ここは、あっしに任せて下さいやし」

「何をするつもりだ」

「ここは『長崎屋』の出店に過ぎやせんが、本店は長崎にあり、江戸店は鉄砲洲にある大きな廻船問屋です」

「そんなこと知ってるわい」

「長崎から運んだ物品を江戸店に運び、異国からの品も沢山扱って、大層羽振りが良さそうでございやすね」

「異国からの品……まさかご禁制の、とでも言いたいのか」

「この前、偽の紅殻小僧が入ったとかで、鉄砲洲の店の蔵を見たでやしょ。そのとき、象牙だの水晶だの、それらしきものが幾つかありやした。ハッキリと確かめたわけじゃありやせんがね」

「そんな悪いことをしているから、紅殻小僧に目を付けられたって言いたいのか」

加納が先走るのを、半次は違うと首を横に振り、

「あっしは、それも〝芝居〟だと踏んでおりやす。『長崎屋』は楊貴妃一座の後ろ盾で、それが狙われるってことは……自分たちは盗人ではないと、世間に思わせたいってことです」

とハッキリと言った。

「なんだと？　まるで、楊貴妃一座が盗賊一味だとでもいうようではないか」

「へえ。だからこそ、遠山様は一座を探れと命じたんじゃありやせんかね。しかも、あっしの調べでは……『長崎屋』ってなあ、まったく謎に包まれてやす」

「おまえが、なんでそんなことを……」

「蛇（じゃ）の道は蛇（へび）。長崎なんて〝無法地帯〟には、それこそ海千山千の猛者どもが潜り込んでやすからね。あっしの耳にも入ってきやす」

自信ありげに言う半次を、加納はまじまじと見て、

「この『長崎屋』がどう怪しいっていうのだ」

「廻船問屋として成り上がったのは、この五年くらいのことですよ。鉄砲洲の小さな商家を買い取って、またたく間に大店の仲間入りをした。長崎には『長崎屋』という廻船問屋はあるにはあるが、形ばかりらしいです」

「どういうことだ。商いをしてない……とでも？」

「おっしゃるとおりで……『長崎屋』は別の手立てで稼いでいたのです」

「それが盗みだというのか」

「さすが旦那。勘がいいでやすね」

「馬鹿にしてるのか」

「へえ……あ、いえ……とにかく、この前の『長崎屋』の紅殻小僧の一件は狂言。

『長崎屋』は自分が被害者になることによって、町奉行所の目を眩まそうとしたんでやす」

「信じられぬ……」

「いっそのこと、すぐにでも踏み込んでみますか。京左衛門を叩けば、一味は芋づる式に上がってくるかもしれやせんぜ」

と当たり前のような顔をして、裏木戸から入っていった。加納は心配そうに見ていたが、何かあったときのために、店の表を行ったり来たりしていた。その態度も怪しい。


その店内の一室では――。

京左衛門と要七が膝をつき合わせるようにして、会っていた。年の差はあるが、まるでふたりだけの逢瀬を楽しんでいるようにも見える。京左衛門は中年ながら、脂ぎった顔で要七を嫌らしい目つきで睨みつけ、

「……馬鹿を言うな。もう辞めたいなどと……なんのために苦労してきたのだ」

と責めるように言った。

「諸国の城下町と違って、さすがは大江戸。いつもと勝手が……それになんだか嫌な予感が肌に張り付いているんです」

「この柔肌にか……」

欲望が煮えたぎった目で、京左衛門は要七の襟から手を忍ばせた。要七はすぐに身を引いて、襟を整えながら、

「よして下さい。私は誰のものでもありませんから」

「そうつれなくするな、おりん……」

京左衛門は要七のことを、〃おりん〃と呼んで、下卑た笑みを浮かべ、

「盗賊の娘を拾ってやったのは、誰だと思ってるのだ。下手をすれば、おまえだって三尺高い所に晒されてたんだ」

「……」

「長崎の貧しい島の出の若造……そうすることで、日本左衛門の娘として追われなくて済んだではないか。そのために、長崎奉行の曾我部様も何かと手を貸してくれた。その恩義を忘れたとは言わせないよ」

「分かっております……でも、曾我部様のことも含めて、私はとても不安なのです」

「何がだね」

要七、いや実は〃おりん〃という娘は、それでも京左衛門を信頼しているのか、江戸に来てから不審なことだらけだと話した。

「まずは『おたふく』という水茶屋の女たちです。あの三姉妹はふつうじゃない」

「三姉妹……」

「長女の桜は、なぜか私のことをずっと尾け廻してます。『長崎屋』との関わりは、旦那が自分で話したとはいえ、やはり妙な連中だと思ってるでしょ？」

「まあな。だから探りを入れてみた」

「あの舞台のとき、閻魔大王役の菊之助に躍りかかった梅の早業は並の人間のものではない。その手下役の杉丸（すぎまる）の話でも、わざと捕らえられたって話してます」

「わざと……」

「ええ。本気ならば、うちの座員なんか一撃でやられただろうって……私が短刀投げをしたときだって、梅って女はまばたきひとつしなかった……並の〝くの一〟以上だわ。私たちの軽業どころの技じゃない」

「……」

「一番妹の竹って娘も、私が男だと思って、近づいてくるけれど、様子を探っているのは見え見えなんです」

「つまり、一座が盗みを働いていると疑われていると」

　京左衛門もたしかに一抹の不安を抱いていた。

「たしかに……『おたふく』の三姉妹は、二代目・歌麿の娘だとのことだが、この二代目・歌麿というのは、絵師でありながら、遠山左衛門尉と繫がっているという噂は聞いていた。いや噂どころか、曾我部様から耳にしたことだから、間違いあるまい」

「――やはり、探られていたのですね」

おりんも苦々しい顔になったが、京左衛門は安心しろと言う。

「おまえも知ってのとおり、曾我部様は此度、江戸に帰ってきた。恐らく次は勘定奉行になるかもしれぬとのことだ」

「……」

「だから、そろそろ私たちも……」

「用なしってことですよね」

意外な言葉を、おりんは明瞭に言った。

「何を言い出すのだ……」

「これまで、どれだけ私たちが曾我部様に吸い取られたと思っているのです。何十回も危ない目に遭いながら盗んだ金を、曾我部様は当たり前のように……」

「その金で勘定奉行の身を摑めるのだ。そしたら、『長崎屋』は晴れて公儀御用達になれる。おまえたちも、ふつうに旅芸人を続けられる。いや、辛いなら辞めて、私の店で奉公すればよい。そして、おまえは……ひとりの女として生きていけばよい」

京左衛門は慰めるように言ったが、おりんは力のある目になって、

「そうですね……でも、最後の最後に、あれだけはやっておきたい」

「江戸城の御金蔵か……」

「そのために江戸に来たのですから。そして、それを成し遂げることが、お父っつぁんへの供養……そう思ってます」

おりんが決意を語ると、京左衛門も頷いて、

「ああ。そのために、曾我部様も手を貸して下さるのだからね」

と言った。

「だとしたら、おりん。気合いを入れなければ……」

言いかけた京左衛門が口を閉ざして立ち上がり、サッと障子戸を開けると、庭には半次が座っていた。

「——おまえさんは、たしか……」

「へえ。鉄砲洲のお店で、盗人を捕らえ損ねた岡っ引でやす」

十手を見せて、半次は上目使いで、

「今、江戸城の御金蔵がどうのこうのと聞こえやしたが、何かご存じなんで？」

と訊いた。だが、京左衛門は否定して、

「聞き違いでしょう。それより、こんな所で何をしてるんです。断りもなしに……」

「表には加納の旦那もおりやす。妙な輩が店に入るのを見かけましたんでね」

「妙な輩……？」

「でも、お知り合いだったのですね。あっしの早とちりで、失礼致しやした」

半次が深々と頭を下げて立ち去ろうとすると、京左衛門は呼び止め、

「本当は何か探ってましたね」

「へえ。また盗人に狙われたら、いけないと思いやして。ずっと見張ってろと、上から命じられてますもんで。あっしは、その辺りにいやすんで、何かあったら、すぐ声をかけて下せえやし」

念を押すように言って、半次は出ていった。京左衛門は目を細めて見送ったが、

「──奴は何か気付いているはずだ。そんな面構えをしていた。あるいは話をぜんぶ聞かれたかもしれない」

「どうする……」

「早速、今夜にでもやりますか。曾我部様には私から報せておくから、芝居は都合により休みにしておきなさい」

京左衛門の顔が俄に凶悪さを帯びてきた。おりんの方は不安が増してきたものの、

「ええ。必ずやり遂げます」

「お父っつぁんが草葉の陰から、きっと守ってくれてますよ。これまでもずっと、そうであったようにね」

「でも、奉行所の動きが気になります。旦那さんも充分に気をつけて下さい」

「曾我部様は、北町の遠山様と大親友ですからね。上手くやって下さるに違いありま

せん。でないと……曾我部様とて我が身が危ういでしょうかね、むふふ」

曾我部を信じ切っているように、京左衛門は何度も頷くのだった。

七

その夜は、不気味なほど赤い満月だった。

蓮池壕は江戸城で最も幅のある壕で、仮に渡ったとしても、さらに二十数間もの高さの石垣が聳えている。その上、石垣の上から蓮池御金蔵までの間は、馬場にできるような大きさの広場が広がっており、そこを見下ろす十二門の櫓からは、人影がひとつでもあれば一目瞭然である。

しかも、三方が長屋櫓に囲まれており、出入り口はひとつで、しかも四重の門に阻まれている。見張り番も数十人が交代で行っており、寝ずの番もいる。この場には、勘定所役人のほんの一握りの人間しか来ることができないのである。

さらに塀を隔てて、将軍や幕閣がいる本丸と繋がっており、書院番や大番(おおばん)など五番方以外に伊賀者(いがもの)や御庭番(おにわばん)などの忍びが、何処かで目を光らせている。

にも拘(かか)わらず——ひとつの影が蓮池櫓の近くに浮かんだ。

真っ赤な月が見下ろしている中、影は音も立てずに御金蔵に近づいた。表には数人の番人が槍を構えて立っている。

「異常はないか」「ありませぬ」「油断せぬように」「番方から警戒せよと報せがあった」

「蓮池壕も明地も櫓も万端、ぬかりはありませぬ」

などと交わされる声が聞こえる。

四重の扉の鍵は、それぞれ旗本で勘定方の鍵番三人が持っており、三つが合わさらないと開けることができない。都合、十二個が合致しないと中には入れないのだ。それほど厳重になったのは、かつて日本左衛門が忍び込んだからである。

だが、この幾重もの鍵のせいで、逆に困ることもある。まだ事例はないが、火事が起こったときに持ち出すことが困難になるということだ。金座の御用蔵は何度か火事に見舞われているが、いずれも厳重でありすぎたため、小判が熔けるという事態になった。

それでも厳しく管理されているのは、将軍の城ゆえに他ならない。

今夜も、番人たちは目を光らせていたが、突然、蔵の前の者たちがストンと気を失ったように倒れた。

気付いた他の者たちが駆けつけて来たが、声を発する前に崩れた。はたまた櫓から様子を見ていた見張り番が目を凝らした瞬間に、その場に崩れた。御金蔵周辺の番人たちは悉く、その場で突然の睡魔に襲われたように倒れてしまったのだ。

だが、何重にも守られている鍵は容易に開けることはできない。しかも一番奥の鍵は、蔵の中にいる番人が内側から開けなければ、開かない仕組みになっている。

それでも、人影は難なく鍵を開け、中に忍び込んでいった。さらに奥にいる役人たちも、くらくらと眠りに落ちさせると、最も奥の御金蔵に入ることができた。その素早さは、熟練した盗人に他ならない。

御金蔵の奥に押し入ると、すでに役人たちはうつ伏せに眠っており、造作なく盗むことはできるが、やはり二千両箱は人ひとりの重さがあるゆえ簡単にはいかない。

だが、人影は二千両箱を開けると、中の封印小判を手際よく出し始めた。

しばらくして——。

蓮池櫓の下に戻って来た人影は、月の明かりにハッキリと黒装束の盗人姿として浮かび上がった。二千両箱をその場に置いたとき、

「上手くやったな」

と背後から声がかかった。

黒装束は振り返ると、小さく頷いて、二千両箱を置いたまま立ち去ろうとした。だが、その前に、声の主が立ちはだかった。

「ご苦労であった。おまえの使命はここまでだ」

「……」

「金が欲しいだけなら、町場の土蔵を狙う方が容易であろう。だが、父親の遺恨を晴らすために幕府に一泡吹かせたい——その思いを果たさせてやったのだ。文句はなかろう」

抜刀してズイと前に出てきた裃姿の侍は、曾我部であった。

後退りした黒装束は、逃げようとするどころか、手裏剣を取り出すなり、ほとんど同時に数本を曾我部に投げた。腕や肩、足などに命中し、曾我部はその場に崩れた。

「き、貴様……！」

苦悶の表情を向ける曾我部に、黒装束は頬被りを取って、月明かりに晒すように見せた——梅であった。

すると、曾我部は目を見開いて、

「だ、誰だ。おまえは……⁉」

と声を洩らした。悲痛な表情に戸惑いが広がる。

「誰だと思っていたのです？　私こそ本物の紅殻小僧ですが」

「！……」

「一番奥の扉にも細工して下さり、ありがとうございました。二千両箱はそこに置いておきますので、ご自由に」

梅は曾我部の体に突き立っていた手裏剣をすべて抜いて壕に投げ捨てると、翻ってスルスルと蓮池櫓に登った。そして、見張り櫓の太鼓と鐘を思い切り叩いて、鳴らした。激しい音は江戸城中に響き渡った。御金蔵が襲われたという合図である。

ドンドンドン——ジャンジャンジャンジャン！

駆けつけてきた番方たちは、眠り薬を吸わされ倒れている役人の向こうに、地面を這っている曾我部の姿を見つけた。

曾我部は必死に二千両箱に這い寄っていき、

「これは俺のだ……俺の金だ……！」

と蓋を開けると、中は空っぽだった。そして一枚だけ書き付けがあり、

——九州を荒らし廻っていた盗賊・弁天小僧の頭領は、曾我部拓馬である。

と記されてあった。

駆けつけてきた番方たちは、まさかここに長崎奉行がいるなどとは思わず、役人に扮して蔵を荒らした盗賊だと判断して捕らえた。事実、曾我部の帯には蔵を開けた鍵がぶら下げられており、目の前にある二千両箱と中に残された紙も押収された。

「違う……これは罠だ……俺は何もしておらぬ……違う、違う！」

曾我部は体の痛みに耐えながら必死に訴えたが、番方たちは、

「何を世迷言(よまいごと)を！」

と怒鳴りつけ組み伏したのであった。

北町奉行所の桔梗(ききょう)の間では、遠山の前で曾我部が深々と頭を下げていた。ここは役所と役宅の間にある客間だが、遠山はよく密談する場として使っていた。

「おまえのお陰で、疑いが晴れた……この俺が盗賊の頭領などと、馬鹿馬鹿しい」

深い溜息と同時に怒りも吐き出すように、曾我部は言った。

「俺の出世を妨げたい誰かがおるようだ。さしずめ、南町奉行の鳥居耀蔵(とりいようぞう)であろうかな。あやつめ、昔からおまえと俺を目の敵にしておったからな。それとも、鳥居とは意気投合している水野様であろうかな……まったくもって、不愉快極まりない。のう金四郎」

「ところで……おまえは、あんな刻限に蓮池御金蔵で何をしておったのだ」

「言うたであろう。次は勘定奉行になるやもしれぬと、幕閣から打診が来ておる。その下見に、上(かみ)勘定所の組頭に案内させていたのだが、油断していたわけではないのだが……賊に襲われてしまった」

「さような組頭は俺の調べではおらぬが」

「たしか、俵原(たわらばら)とかいう奴だ。篤と調べてみてくれ」

「俵原なら去年、退官しておる。女房が病で面倒を見るとかでな」

「そうなのか？　では誰だったのか……」

惚けて腕組みをする曾我部を、遠山は責め立てることはなく、

「この書き置きに心当たりはないか」

と盗賊の頭領であると書かれている文を見せた。

「ない。これこそ、俺を貶めようとする証拠ではないか。しかも二千両箱の中にとは、手が込みすぎておる」

「中身はどうした」

「えっ……？」

「おぬしが二千両箱に向かって這っているところを、番方の連中が何人も見ておる」

「知らぬ。中に金はなかった」

「どうして、そんな所に中身のない二千両箱があったのだ」

「分からぬ。賊が金だけを盗んで逃げたのやもしれぬ」

「その賊を、おぬしは見ておらぬのか」

「うむ。素早い奴で、声をかけたときには……見てのとおり、手裏剣を投げられ、倒れた隙に逃げていった」

曾我部は肩や腕、足などに受けた傷を見せた。

「投げつけた手裏剣をわざわざ抜いて逃げたというのか」

「さよう。何故、そんなことをしたのかは分からぬが、きっとそれで足が付くとでも思ったのではないのか。伊賀や甲賀などによって形が違うらしいからな」

「なるほど……では、忍びが盗賊一味にいると考えてよいのだな」

「であろうな……」

適当に答えた遠山は納得し難いと小首を傾げて、

「だが、俺が捕縛した曾我部に、一味には、忍びらしき者はおらなんだ。ただ、盗賊の娘がひとりいたがな。どうやら盗みに関しては、その者が仕切っておったようだ」

「――そうなのか……」

俄に不安げな顔になる曾我部を見つめて、遠山は立ち上がると、

「今から、お白洲がある。おぬしにも立ち会って貰いたい」

「俺が……？　どうしてだ」

「その盗賊一味の頭目は、なんと楊貴妃一座の座長で、その後ろ盾の『長崎屋』京左衛門が盗みを促していたらしい。おまえが俺に話してくれたとおりにな」

「さ、さようか……」

「だが、事もあろうに、こやつらは、おまえこそが後ろで糸を引いておったなどと、いけしゃあしゃあとぬかしておる」

「……」

「さような出鱈目は通じぬと、おまえが自ら恫喝してやるがよい」

遠山が言うと、曾我部はあまり乗り気ではなさそうで、

「——そやつら、俺が追捕し続けていることを承知しておるゆえ、もしかしたら罠に嵌めようとしているのかもしれぬ。だから、昨夜もあのようなことを……」

「だったら尚更、一味の素性を暴いてやろうではないか。楊貴妃を演じる女形が、実はおりんという女だということも、おまえは調べ出していた。まさか、お白洲に長崎奉行が出座するとは思うておらぬだろうから、奴らは度肝を抜かれるのではないかな」

「……」

「そろそろ、吟味方与力が詰めたところであろう。さあ、一緒に出向いて、奴らの悪行を暴いてやろうではないか」

遠山が立ち上がって、お白洲へ向かう渡り廊下へ向かい始めると、曾我部も与力に勧められて、仕方なく後からついていった。

八

お白洲には、神妙な顔つきのおりんが座っており、その横には京左衛門が俯き加減

でいた。だが、ふたりとも妙にサバサバしたような表情で、何もかもを吐露した後で、処刑を覚悟しているようだった。

壇上に遠山が現れると、少し離れた書物同心の前辺りの陪席に、曾我部も座った。

その顔を見て、京左衛門はアッと目を凝らしたが、何も言わずに黙っていた。ふたりとも自前の平服ではなく、すでに咎人用の黄八丈の着物になっている。

「——さて、楊貴妃こと、おりん……おまえが九州をはじめ各地を荒らしていた〝弁天小僧〟に相違ないな。江戸では、〝紅殻小僧〟の名を騙っていたが」

遠山が問いかけると、おりんは素直に答えた。

「はい。すべて吟味方与力様に申し上げたとおりでございます」

「廻船問屋『長崎屋』京左衛門、おまえが後ろ盾だったことも認めるか」

京左衛門を向いて訊くと、すべては露見しているとおりだと、こちらも正直に話した。遠山は大きく頷いてから、ふたりの出会いから、旅芸人として諸国を巡りながら、盗みをしていたことも話させた。そして、近頃は人気が出ていたことから、盗みの回数は減っていたと京左衛門は伝えた。

「では改めて訊くが、何故、続けておったのだ。足が付くようなことをしてまで、金が必要だったのか」

「それは……」

遠山の問いに京左衛門は答えるのを渋ったが、おりんの方は、

「長崎奉行の曾我部拓馬様に命じられておりました」

と申し述べた。

子細を訊くと、おりんは曾我部に命じられて、九州の各地を荒らしては長崎に戻って匿われていたという。〝治外法権〟のようなものが、長崎にはあったからである。

「まこと、長崎奉行に命じられていたのか」

「はい。京左衛門さんに、そう言われておりました」

おりんが答えると、京左衛門は仕方がないという顔で頷いたが、自ら答えた。

「申し訳ございませぬ。たしかに命じられておりましたが、私がこのおりんを利用していたのは事実でございます。一座の中にも、ふたりばかり手伝っている者がおりましたが、他の座員はまったく関わりございません」

「京左衛門さんの言うとおりです。ほとんどは私ひとりでやったことでございます」

座員を庇いたいのであろう。遠山も、菊之助と杉丸という者以外の座員が知らないことであることは、承知していた。

「では、おりん……おまえが昨夜、江戸城に押し入ったときに会ったのは、誰だ」

「昨夜……」

「御金蔵に押し入り、まんまと二千両を盗もうとしたのではないのか」

「いいえ。私は行っておりません」

おりんが答えると、京左衛門も驚いて、思わず横顔を見た。

「正直に申し上げます……昨夜、たしかに私は蓮池壕から忍び込もうとしました。いつもの竹筒で眠り薬の煙幕を使えば容易なことだと判断したからです」

「だが、鍵は幾重にもあって難しいはずだが」

「そのことについては、今し方話した曾我部様が、開け易いように細工をしておくとのことでした。ですが……」

「ですが……？」

「蓮池壕まで行ったとき、本物の紅殻小僧というのが現れて、『これは罠だ。おまえが忍び込むと、その場で捕まり、処刑されるだけだ』と言われました。それでも、私は行こうとしましたが……いきなり鳩尾を突かれ、気付いたときには、一座の楽屋におりました」

「曾我部が開け易いようにしておく……本人がおまえに、そう言ったのか」

「いいえ。京左衛門さんから聞きました」

気まずそうに俯いたままの京左衛門だが、おりんは淡々と続けた。

「後になって思ったことですが、本物の紅殻小僧は本当に義賊だと思います。だから、私に罪を重ねさせまいと止めてくれたのです。もし、私が江戸城内に入ったとしても、おそらく捕縛されるか、その場で殺されていたと思います」

「うむ。その場で殺されていたであろうな。この曾我部に……」

遠山は陪席にいる曾我部を扇子で指した。おりんは驚いて見ていたが、京左衛門はすべてを承知したように両肩を落とした。

だが、曾我部は感情を露わにして、

「これはなんの茶番だ、遠山。俺はたしかにその場にいたが、下見のため……」

「おまえが黒装束の顔を見て、『誰だ』と一瞬、逡巡したのを見ていた者がおる。御金蔵破りに来る奴が誰かを、知っていたという証拠だ。しかも、おまえはどの扉にも合う鍵を帯に下げていた。本当は、その盗賊が自分で押し入ったのが不思議だったのではないのか?」

「な、何を訳の分からぬことを……俺は賊を捕縛しようとしたが、かように手裏剣で反撃されて……」

「そもそも賊は金を盗んでおらぬ。二千両箱は蔵から持ち出したがな。だから、斬り殺すほどの盗みと言えるかどうか」

「何を下らぬことを……」

「違うな。おまえは、楊貴妃一座と京左衛門を散々利用してきたが、まもなく勘定奉行になるから、邪魔になった」

「逆に、そこな京左衛門に昔のことも含めてすべてをバラすと脅されていた。だから、どうしても一座共々、始末したかった。だから、わざわざ、おりんの願いを叶えてやるふりをしながら、自らの手で捕らえて葬ろうとしたのだ。そうであろう？」

遠山が縷々と述べると、曾我部は怒りの顔になって、

「貴様……親友の俺を信じられぬのか……俺がそんなことをする人間だと思うておるのか……それとも、そこにいる盗人どもの話の方を信じるというのか」

「盗人ども……」

手にしていた扇子をお白洲のおりんに投げて、遠山はニンマリと笑い、

「やはり、おりんの顔は知っていたのだな。だから、本物の紅殻小僧を見た途端、『誰だ』と訊いた」

「顔くらい分かっておる。ずっと探索していたのだからな」

「ならば、京左衛門の方はどうだ」

「むろん、知っておる。こやつも盗賊一味、いや頭目同然の奴だからな」

「だったら、俺に任せれば良かったのにな……わざわざ、自分は関わりないという下手な芝居を打ったために、襤褸を出したってことだ。楊貴妃一座の方が何枚も上だな」

遠山はもはや言い訳は見苦しいぞと、曾我部に言うと、京左衛門はガックリと項垂れて、半分泣きべそをかきながら、

「申し訳ありません……私も所詮は泥棒稼業の男です。でも、儲けたい一心で、一端の商人になりたいために、曾我部様の言いつけどおり、抜け荷にも手を出しておりました……でも、曾我部様がご出世なされば、私たちの罪もご破算にして下さる……そう思っておりました……なのに裏切られるとは……」

とすべてを吐露した。

「──ふはは……遠山……おまえも俺のことを嫌いなのか。俺が勘定奉行になるのが煙たくて、排除したいだけであろう。だから、あらぬ罪を俺に被せて、盗賊一味の頭領として処罰したいのか」

「あくまでも認めぬのだな、曾我部。そこまで卑怯とは思わなかった」

「認めるもなにも、俺は何もしておらぬ。盗人の言うことなど、信じるな！」

猛然と言い返した曾我部を、遠山は実に無念そうに見やりながら、

「では言うがな……昨夜、御金蔵の番人がみんなバタバタと倒れたのは、ぜんぶ芝居だ。番方もいたが、ほとんどは俺の手の者でな、おまえが何をしでかすか、見張っていたのだ」

「えっ……」

「おまえのことは、一部始終、役人が見聞きしていたのだ。その場での話もな」

「――遠山、貴様……！」

「折り入ってと、俺に話しに来たときから疑ってはいたが、前々から長崎奉行の抜け荷などの不祥事は、幕閣でも探索していたのだ。おまえは盗人を利用して上手い具合に立ち廻っていたようだが……その秀才の頭は違うことに使うべきだったな」

遠山が諭すように言ったが、曾我部は我を失ったように立ち上がると、脇差を抜いて振り廻そうとしたが、蹲い同心らが一斉に飛びかかって、その場に組み伏した。そして、引きずって控え室に連行していった。

一連の騒動を目の当たりにして、おりんと京左衛門は唖然としていたが、

「誰も傷つけず、鮮やかに盗みをしていたとしても、盗みは盗みだ。おまえたちの気持ちは分からぬではないが、その身をもって償う他はない。よいな」

と遠山は厳しい沙汰を言い渡すのであった。

その翌日――。

楊貴妃一座は興行を取りやめて、何処かへ旅に出た。『長崎屋』も江戸にある店をふたつとも畳み、突然、姿を消した。遠山は大騒ぎになるのを避けたかったのか、長崎奉行が盗賊と関わっていたことを公にしたくなかったのか、此度の一件が瓦版に書かれることはなかった。

曾我部は評定所で裁かれた後、ひそかに自宅にて切腹を命じられ、おりんと京左衛門はともに遠島を申しつけられた。

命まで取られなかったとはいえ、遠島とは無期懲役のようなものだから、御赦免花でも咲かない限り、再び世間に戻ってくることはない。だが、ふたりが送られたのは、生まれ故郷でもある肥前の五島であった。もしかしたら、再び楊貴妃一座が諸国を巡るのを期待してのことかもしれない。

今宵もいつものように『おたふく』は賑わっていた。ただ、加納だけはやはり、暗澹たる顔で、しょぼくれていた。

「もう一杯……ほら、もう一杯、持ってきてくれよう」

徳利を振りながら、加納はろくに飲めない酒を浴びようとしている。

「やけ酒は他の店でやって下さいな。ここは、そういう店ではありませんので」

梅が突き放すように言うと、加納はどうしても納得できないと繰り返す。楊貴妃一座と『長崎屋』の関わりを明らかにしようと、あと少しまで追い詰めていたのに、知らぬ間に片付いていたことが、承服できないのだ。

「でも、噂では捕まって処刑されたってんだから、それでいいじゃない」

「違うよ。俺がこの手で捕らえたかったのだ。あと少しだった。俺なんで、お奉行は俺から手柄を取り上げるんだ」

「それは言いがかりってものじゃない？　事件が解決したのなら、誰彼の手柄じゃなくて、喜ばなきゃ」

梅が説教染みて言うと、桜も顔を出して、

「そうそう。福ちゃんはまだ若いんだから、もっと大きな事件を扱って、大手柄を立てられますよ。だって、まだ紅殻小僧だって捕まってないんでしょ」

「あ、そうだ。そいつを捕まえなきゃならないな！」

加納が気勢を上げたが、そのまま前のめりに倒れて、ぐうぐうと寝息を立て始めた。

困った同心だと笑いながら、桜は背中に掛け物を被せた。その前で、今度は竹が、

「私もなんだか馬鹿みたい……楊貴妃様って、てっきりかっこいい女形だと思ってたのに、なんだか……恥ずかしい」

と寂しそうに笑った。

今日の月は綺麗で穏やかな色である。明日は清々しい青空が広がるに違いない。江戸の一角の浅草、さらに片隅の『おたふく』も静かに宵闇に包まれていった。

本作品は書き下ろしです。

実業之日本社文庫　最新刊

蒼月海里
海風デリバリー
高校を卒業し「かもめ配達」に就職した海原ソラは、様々な人と触れ合い成長していくが……。東京湾岸を舞台にした〝爽快&胸熱〟青春お仕事ストーリー!!
あ311

梓 林太郎
越後・親不知 翡翠の殺人　私立探偵・小仏太郎
京都、金沢、新潟・親不知……山小屋の男の失踪の裏には十八年前の殺人事件が!? 彼は被害者か犯人か? 七色の殺意を呼ぶ死の断崖!（解説・山前 譲）
あ318

荒崎一海
孤剣乱斬 闇を斬る 七
若い男女が心中を装い殺されるが、二人に直接の繋がりはなく「闇」の仕業らしい。苦難の道を歩む剣士・鷹森真九郎の孤高の剣が舞い乱れるシリーズ最終巻!
あ287

井川香四郎
紅い月 浮世絵おたふく三姉妹
三社祭りで選ばれた「小町娘」が相次いで惨殺された。新たな犠牲者を出さぬため、水茶屋「おたふく」の三姉妹が真相解明に乗り出す! 待望のシリーズ第二弾。
い1010

加藤 元
もりのかいぶつ
毒親に翻弄される少女に生きる理由と場所を与えてくれたのは、本だらけの家に住む偏屈な魔女の「おばさん」と「猫」だった——。感涙必至の少女成長譚!!
か103

近藤史恵
たまごの旅人
ひよっこ旅行添乗員・遥は、異国の地でひとり奮闘を続けるが、思わぬ事態が起こり……人生の転機と旅立ちを描くウェルメイドな物語。（解説・藤田香織）
こ37

沢里裕二
処女刑事 新宿ラストソング
新人女優が、歌舞伎町のホストクラブのビルから飛び下り自殺した。真木洋子×松重豊幸コンビは、若い女性を食い物にする巨悪と決戦へ! 驚愕の最終巻!?
さ320

実業之日本社文庫　最新刊

田中啓文
若旦那は名探偵　七不思議なのに八つある
おもろい事件、あらへんか？　江戸の岡っ引きのもとで居候する大坂の道楽息子・伊太郎が驚きの名推理で犯人を追い詰める、人情&ユーモア時代ミステリ！
た66

堂場瞬一
大連合　堂場瞬一スポーツ小説コレクション
不祥事と交通事故。部員不足となって窮地に立つ、新潟県の二校の野球部が、連合チームを組んで甲子園をめざす！　胸熱の高校野球小説！（解説・沢井 史）
と119

葉月奏太
ぼくの女子マネージャー
ボクシング部員の陽太にとって、女子マネージャー亜美は憧れの女。強くなり、彼女に告白したいと練習に励むが…。涙と汗がきらめく青春ボクシング官能！
は617

東川篤哉
野球が好きすぎて
アリバイは、阪神vs.広島戦!?　野球ファンが起こした珍事件の行方は……プロ野球界で実際に起きた出来事を背景に描く、爆笑&共感必至の痛快ミステリ！
ひ44

南 英男
断罪犯　警視庁潜行捜査班シャドー
非合法捜査チーム「シャドー」の面々を嘲笑う〝断罪人〟からの謎の犯行声明！　美人検事殺害に続く標的は誰？　緊迫の傑作警察ハード・サスペンス長編!!
み735

睦月影郎
淫ら美人教師　蘭子の秘密
北関東の高校へ赴任した蘭子。担任するクラスには不良達がいて、襲いかかってくるが……。美人教師が秘められた能力で、生徒や教師を虜にする性春官能。
む220

渋沢栄一・著／奥野宣之・編訳
抄訳　渋沢栄一『至誠と努力』
——人生と仕事、そして富についての私の考え
地方の農民の子→幕臣→官僚→頭取→日本資本主義の父。なぜ彼はこんな人生を歩めたのか？　史上最強のビジネスマン・渋沢栄一の思考法。（解説・北 康利）
し62

実業之日本社文庫　好評既刊

井川香四郎
菖蒲侍　江戸人情街道
もうひと花、咲かせてみせる！　花菖蒲を将軍に献上するため命がけの旅へ出る田舎侍の心意気——名手が贈る人情時代小説集！（解説・細谷正充）
い10 1

井川香四郎
ふろしき同心　江戸人情裁き
嘘も方便——大ぼら吹きの同心が人情で事件を裁く！　表題作をはじめ、江戸を舞台に繰り広げられる人間模様を描く時代小説集。（解説・細谷正充）
い10 2

井川香四郎
桃太郎姫　もんなか紋三捕物帳
男として育てられた桃太郎姫が、町娘に扮して岡っ引の紋三親分とともに無理難題を解決！　歴史時代作家クラブ賞・シリーズ賞受賞の痛快捕物帳シリーズ。
い10 3

井川香四郎
桃太郎姫七変化　もんなか紋三捕物帳
綾歌藩の若君・桃太郎、実は女だ。十手持ちの紋三のもとでおんな岡っ引きとして、仇討、連続殺人など、次々起こる事件の〈鬼〉を成敗せんと大立ち回り！
い10 4

井川香四郎
桃太郎姫恋泥棒　もんなか紋三捕物帳
讃岐綾歌藩の若君・桃太郎が町娘の桃香に変装して散策中、ならず者たちとの間で諍いに。窮地を救った若き刀鍛冶・一文字菊丸に心を奪われた桃香は——!?
い10 5

実業之日本社文庫　好評既刊

井川香四郎
桃太郎姫暴れ大奥
男として育てられた若君・桃太郎。将軍暗殺の陰謀を未然に防ぐべく、「部屋子」の姿に扮して、単身大奥に潜入するが……。大人気シリーズ新章、堂々発進！
い10 6

井川香四郎
桃太郎姫　望郷はるか
偽小判騒動を通じて出会った町娘・桃香に、材木問屋の若旦那・菊之助がひと目惚れ。その正体が綾歌藩の若君（!?）と知らない彼は……人気シリーズ、絶好調!!
い10 7

井川香四郎
桃太郎姫　百万石の陰謀
讃岐綾歌藩の若君・桃太郎に岡惚れする大店の若旦那が、実は前加賀藩主の御落胤らしい。そのことを利用して加賀藩乗っ取りを謀る勢力に、若君が相対する！
い10 8

井川香四郎
歌麿の娘　浮世絵おたふく三姉妹
人気絵師・二代目喜多川歌麿の娘で、水茶屋「おたふく」の看板三姉妹は、江戸の悪を華麗に裁く美しき仕置人だった!!　痛快時代小説、新シリーズ開幕！
い10 9

文日実
庫本業 い 10 10
社之

紅い月　浮世絵おたふく三姉妹

2024年6月15日　初版第1刷発行

著　者　井川香四郎

発行者　岩野裕一
発行所　株式会社実業之日本社
〒107-0062　東京都港区南青山6-6-22 emergence 2
電話 [編集]03(6809)0473 [販売]03(6809)0495
ホームページ https://www.j-n.co.jp/
ＤＴＰ　ラッシュ
印刷所　大日本印刷株式会社
製本所　大日本印刷株式会社

フォーマットデザイン　鈴木正道(Suzuki Design)

*本書の一部あるいは全部を無断で複写・複製（コピー、スキャン、デジタル化等）・転載することは、法律で認められた場合を除き、禁じられています。

また、購入者以外の第三者による本書のいかなる電子複製も一切認められておりません。

*落丁・乱丁（ページ順序の間違いや抜け落ち）の場合は、ご面倒でも購入された書店名を明記して、小社販売部あてにお送りください。送料小社負担でお取り替えいたします。

ただし、古書店等で購入したものについてはお取り替えできません。

*定価はカバーに表示してあります。

*小社のプライバシーポリシー（個人情報の取り扱い）は上記ホームページをご覧ください。

©Koshiro Ikawa 2024　Printed in Japan
ISBN978-4-408-55798-4（第二文芸）